L'Amulette dragon

LES LÉGENDAIRES

377806

L'Amulette dragon

hachette
JEUNESSE

Comment lire ce livre ?

8

*L*a forteresse massive est entourée d'un haut mur d'enceinte en partie masqué par un lierre rouge. Une dizaine de hautes tours s'élèvent vers les nuages. Sur la droite, s'étend un vaste cimetière mal entretenu.

— Qui va là ? les interpelle un inquiétant chevalier à l'armure d'airain, alors que les Légendaires s'avancent vers le pont-levis.

— Nous recherchons une jeune fille qui a dû passer par ici il y a quelques heures, répond Danaël. Nous avons toutes les raisons de penser que ses parents ont été enlevés par un dragon qui a brûlé son village.

Le chevalier prend un air surpris, et répond dans un grincement de vieux gonds rouillés.

— Vous connaissez Lila ?

— Oui ! Où est-elle ? l'interroge Razzia en se faisant menaçant.

— Elle m'a raconté qu'elle cherchait ses parents... son histoire m'a touché et je l'ai laissée entrer. Cela dit, je me demande si j'ai bien fait... Le donjon est plutôt dangereux

Les chapitres
**Pour repérer les chapitres,
cherche les numéros comme celui-ci.
Ils apparaissent en haut de page.**

depuis que notre seigneur, Lord Noircénoir, a disparu… Le dragon a dû le dévorer, ou alors il le retient prisonnier. Personne ne le sait.

— Laisse-nous passer et on va lui régler son compte, à ce dragon ! se rengorge Gryf.

— Je voudrais bien, mais je ne peux pas. C'est bien écrit dans mon contrat : pour passer, il faut me vaincre.

— Mais Lila ne t'a pas vaincu, elle !

— Non, mais c'était qu'une jeune fille, ça ne compte pas, réplique le chevalier d'Airain. Alors, qui veut m'affronter ?

— On peut peut-être déjà faire le tour du donjon, pour voir s'il n'y a pas une autre entrée… propose Shimy.

Quelle est ta décision, Légendaire ?
Si tu veux affronter le chevalier d'Airain rends-toi au 34
Si au contraire tu penses qu'il faut chercher un autre passage, rends-toi au 65

Les choix
À chaque fin de chapitre, ce visuel t'indique où continuer ta lecture. S'il indique
« Rends-toi au 34 », tu devras chercher le chapitre 34 pour continuer ton aventure.
Attention, parfois, deux choix te sont proposés…
à toi de faire le bon !

LES LÉGENDAIRES

DANAËL

Le chevalier du royaume de Larbos est le chef des Légendaires. Son épée d'or est au service de la justice et a été forgée dans le monde elfique.

GRYF

L'homme-bête aux griffes capables d'entailler la roche est le meilleur ami de Danaël. Courageux et impulsif, il s'attire souvent des ennuis !

JADINA

La princesse magicienne a une grande maîtrise des sortilèges. Mais c'est aussi une enfant gâtée souvent insupportable !

RAZZIA

Le colosse de Rymar a une force hors du commun. Très loyal envers le groupe, il protégera toujours les Légendaires.

SHIMY

Cette elfe élémentaire est capable de fusionner avec l'eau et la terre. D'apparence réservée, elle n'hésite pourtant pas à dire ce qu'elle pense !

*L*es Légendaires profitent d'un repos bien mérité sur une plage au nord du royaume de Sabledoray. Jadina se fait bronzer, pendant que Shimy regarde les garçons chahuter dans l'eau cristalline du lagon.

Gryf vient de boire la tasse, quand soudain le regard de Danaël se tourne vers l'intérieur des terres.

Une fumée noire et inquiétante monte à l'horizon...

— Z'est peut-être un barbecue zéant ? propose Razzia.

— Je ne crois pas, non, réplique Jadina. C'est un incendie. Nous devrions aller voir.

— Mais on est en vacances ! râle Gryf depuis la plage.

— Ça me fait mal de le dire, mais je suis d'accord avec Jadina, soupire Shimy. Et puis la bronzette, c'est pas vraiment mon truc...

— Ça ne nous prendra pas beaucoup de temps ! On va jeter un œil et on revient aussitôt ! promet Danaël en sortant de l'eau.

— Danaël a raison, approuve Gryf en le suivant. On doit y aller, Légendaires !

 En route pour une nouvelle aventure, Légendaire !
Rends-toi au 35

*R*azzia charge. Sous ses coups puissants, la porte s'abat enfin dans un fracas du tonnerre, après avoir résisté quelques instants. Le couloir est désert.

— Elle... elle était coriaze ! déclare Razzia, essoufflé.

Tout à coup, un rugissement terrible ébranle le silence et l'ombre énorme du dragon obscurcit le ciel.

Jadina n'a pas le temps de lancer un sortilège de protection que, déjà, le souffle enflammé de la créature envahit le couloir, brûlant tout sur son passage...

Grièvement blessé, le groupe doit fuir le donjon.

Ta quête a échoué, Légendaire, le dragon pourra finir de ravager ces terres avant que tu ne sois remis sur pied... Quel dommage, si près du but ! Aurais-tu réussi à le vaincre en faisant d'autres choix ?
Pour le savoir, recommence en 1 !

*L*es compagnons s'élancent, les poings en avant. Mais la bataille est de courte durée. Sitôt les premiers coups échangés, les jardiniers s'enfuient en laissant leurs pelles et leurs râteaux sur place.

— Ze reste un peu zur ma faim, soupire Razzia qui n'a même pas eu le temps de donner le moindre petit coup de poing.

— Venez voir ! les interpelle Lila.

La jeune fille s'est avancée face à une grosse machine en bronze dont les tuyaux font des circonvolutions jusqu'au plafond en verre de la serre.

— Qu'est-ce que c'est ?

— Un alambic, lui explique Danaël. Ça sert à distiller des essences de plantes, d'herbes ou de fruits.

Lila ouvre les portes d'un petit confiturier à gauche de l'appareil. Elle y découvre trois fioles en verre.

Sur la première, la bleue, est écrit « potion d'invisibilité », sur la seconde, la rouge, « potion de silence » et sur la troisième, la blanche, « potion déodorante ».

Jadina inspecte les flacons.

— Ce sont bien des potions magiques faites à partir des fruits rares qui sont cultivés dans cette serre.

— Emportons-les avec nous ! décide Danaël. Ça pourrait nous servir à combattre le dragon.

— Lila, je te les confie, dit Jadina. Prends-en soin.

— Promis ! acquiesce la jeune fille en glissant les fioles dans les poches de sa veste.

— Dépêchons-nous, la nuit approche, les presse Gryf, guère rassuré à l'idée d'être coincé dans un donjon plongé dans le noir avec un dragon.

Suis tes compagnons, Légendaire.
Rends-toi au 33

4

—*L*égendaires, tous unis !
s'écrie Danaël en attaquant avec énergie.

Autour de lui, ses compagnons redoublent d'efforts. Les coups pleuvent et, petit à petit, l'ennemi recule. La victoire est presque acquise !

Soudain ce sont des dizaines de créatures boueuses qui émergent du marécage. Dépassés en nombre, épuisés et démoralisés, les Légendaires se laissent submerger par leurs adversaires. Jadina et Danaël sont gravement blessés.

Le groupe doit fuir la forêt pour aller se faire soigner.

Ta quête a échoué, Légendaire.
Le temps que tu sois rétabli, le dragon aura ravagé toute la région...
Que se serait-il passé si tu avais fait d'autres choix ? Pour le savoir, recommence au 1 !

*L*es Légendaires traversent une clairière avant de devoir à nouveau choisir entre deux directions.

— Mon intuition me dit d'aller à droite, déclare Gryf.

— Je pense qu'il vaut mieux prendre le chemin de gauche, dit Danaël.

Fais ton choix, Légendaire !
Pour prendre à droite, rends-toi au 85
Pour prendre à gauche, rends-toi au 72

*S*itôt que Gryf se glisse dans la pièce, le dragon se met à s'agiter et à grogner dans son sommeil.

— Dépêche-toi, murmure Shimy.

Mais alors qu'il est à moins de deux mètres de la créature, celle-ci détend son long cou et le mord cruellement au bras. Le Légendaire hurle en reculant, son sang rouge coulant sur le sol.

— Je n'entends certes presque rien, dit le dragon, et j'y vois encore moins... mais mon odorat ne me trompe jamais !

Gryf a juste la force de sortir de la pièce avant de s'effondrer, inconscient, tandis que le dragon crache du feu sur les Légendaires qui doivent fuir.

Si proche du but... dommage, Légendaire ! Ta quête est un échec. Recommence en 1 !

$\mathcal{L}$ord Noircénoir conduit les Légendaires à travers un dédale d'escaliers et de couloirs, jusqu'aux cuisines.

Les fourneaux sont sales et malodorants.

— Depuis mon départ, les choses se sont beaucoup dégradées, se lamente le seigneur en prenant un balai. Enfin... au travail !

Chacun des Légendaires se met à récurer, sauf Jadina.

— Hé, princesse ! Tu as peur de te casser un ongle ? s'agace Shimy.

— Moi ? Tu veux que je me mette à genoux pour passer la serpillière ? s'écrie Jadina, outrée. Je veux bien dormir à la belle étoile, affronter des dragons ou des chauves-souris vampires, mais ça non ! C'est peut-être la place d'une elfe élémentaire, mais pas d'une magicienne de mon rang.

— OK, répond l'elfe. Alors aide-moi juste à essorer ma serpillière.

Et d'un geste brusque, elle l'envoie au visage de Jadina qui bascule en arrière.

— Tu vas me payer ça ! crie Jadina, dégoulinante.

— Za faisait longtemps, soupire Razzia alors que les deux filles se jettent l'une sur l'autre, bousculant les piles de casseroles et les ustensiles de cuisine.

Quand les garçons ont fini de tout récurer, les filles ont fait une trêve.

Lord Noircénoir leur explique alors qu'il faut faire un gâteau à la myrtille, dans lequel il ajoutera un élixir de racine de Dormiror, ce qui devrait endormir profondément le dragon.

— Je vais faire le gâteau déclare Jadina. Et c'est Gryf qui va m'aider.

— Toi ? s'esclaffe Shimy. Tu ne sais même pas faire cuire un œuf ! Et Gryf est peut-être un goinfre, mais il n'a aucun palais. Non, je vais faire le gâteau, et Razzia sera mon assistant.

— Il n'y aura pas assez de myrtilles pour toutes les deux, dit Danaël.

— Alors laquelle fera le gâteau ? interroge Lord Noircénoir.

À toi de les départager, Légendaire !
Pour que Jadina et Gryf fassent
la pâtisserie, rends-toi au 13
Si tu préfères miser sur Shimy
et Razzia, rends-toi au 52

La forteresse massive est entourée d'un haut mur d'enceinte en partie masqué par un lierre rouge. Une dizaine de hautes tours s'élèvent vers les nuages. Sur la droite, s'étend un vaste cimetière mal entretenu.

— Qui va là ? les interpelle un inquiétant chevalier à l'armure d'airain, alors que les Légendaires s'avancent vers le pont-levis.

— Nous recherchons une jeune fille qui a dû passer par ici il y a quelques heures, répond Danaël. Nous avons toutes les raisons de penser que ses parents ont été enlevés par un dragon qui a brûlé son village.

Le chevalier prend un air surpris, et répond dans un grincement de vieux gonds rouillés.

— Vous connaissez Lila ?

— Oui ! Où est-elle ? l'interroge Razzia en se faisant menaçant.

— Elle m'a raconté qu'elle cherchait ses parents... son histoire m'a touché et je l'ai laissée entrer. Cela dit, je me demande si j'ai bien fait... Le donjon est plutôt dangereux depuis que notre seigneur, Lord Noircénoir, a disparu... Le dragon a dû le dévorer, ou alors il le retient prisonnier. Personne ne le sait.

— Laisse-nous passer et on va lui régler son compte, à ce dragon ! se rengorge Gryf.

— Je voudrais bien, mais je ne peux pas. C'est bien écrit dans mon contrat : pour passer, il faut me vaincre.

— Mais Lila ne t'a pas vaincu, elle !

— Non, mais c'était qu'une jeune fille, ça ne compte pas, réplique le chevalier d'Airain. Alors, qui veut m'affronter ?

— On peut peut-être déjà faire le tour du donjon, pour voir s'il n'y a pas une autre entrée... propose Shimy.

Quelle est ta décision, Légendaire ?
Si tu veux affronter le chevalier d'Airain rends-toi au 34
Si au contraire tu penses qu'il faut chercher un autre passage, rends-toi au 65

Alors que Razzia s'élance dans la pièce, Danaël prévient Shimy et Jadina de se tenir prêtes à intervenir au cas où ça tournerait mal. Le dragon en furie est enfin parvenu à se débarrasser de Gryf, mais avant qu'il n'ait pu dévorer le Légendaire, il renifle la présence de Razzia et fait claquer ses mâchoires, à quelques centimètres du colosse pourtant invisible.

— Il le repère grâce à son odorat ! s'écrie Jadina.

— Légendaires, à l'attaque ! lance Danaël.

Aussitôt, les cinq compagnons font front. Le dragon crache un jet brûlant, mais Jadina a prévu une parade. Elle lance un sortilège de protection pendant que Shimy, utilisant son pouvoir d'elfe élémentaire, arrose la gueule de la créature grâce à l'eau d'un grand baquet.

Furieux, mais réduit à l'impuissance, le dragon bondit sur les compagnons. Danaël n'a pas d'autre choix que d'enfoncer son épée droit dans le cœur de la 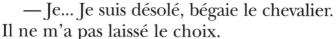 bête, la terrassant sur le coup.

Le dragon s'effondre d'un bloc sur le sol.

— Non ! s'écrie Lila en accourant dans la pièce. Il n'a pas dit où étaient mes parents !

— Je... Je suis désolé, bégaie le chevalier. Il ne m'a pas laissé le choix.

Lila retire avec précaution la chaîne du cou de la créature qui se change alors peu à peu en un garçon rouquin. C'est lui qui terrorisait le village grâce à l'amulette ! Mais pourquoi ? Qui est-il ? Impossible à savoir, maintenant... La jeune fille pose l'amulette dragon sur sa propre poitrine.

— Puisque vous ne pouvez pas m'aider à retrouver mes parents, je vais me débrouiller toute seule.

Avant que les Légendaires comprennent ce qui se passe, leur amie commence sa transformation en dragon.

— Ne fais pas ça ! hurle Gryf.

Mais la jeune fille ne veut rien entendre. Elle court vers la brèche dans le mur et saute dans le vide.

— Elle va se tuer ! s'inquiète Jadina.

— Non ! Regardez !

Tous contemplent Lila, transformée en un beau dragon élancé, qui reprend de l'altitude avant de disparaître sur l'horizon.

— Hum... ze zuis pas zûr que zette quête zoit vraiment une réuzzite...

— Oui, admet Danaël. On a terrassé un dragon, mais en voilà un nouveau en vadrouille.

— Dès qu'elle aura retrouvé ses parents, elle se calmera, assure Gryf.

— Il faut l'espérer, réplique Shimy. Sinon ta petite copine risque de faire de sacrés ravages.

— C'est pas ma petite copine ! râle l'enfant-fauve.

— Allez, les amoureux, arrêtez votre scène de ménage ! On ferait mieux de partir d'ici avant d'avoir des ennuis, leur lance Jadina.

— Grrrrr ! Toi ! s'écrie Shimy, vexée, en s'élançant à sa poursuite. Tu vas voir !

Tu as accompli ta quête, mais un nouveau dragon hante la région. Si tu n'avais pas fait les mêmes choix, peut-être aurais-tu trouvé d'autres indices sur les parents de Lila, ou sur ce qui est vraiment arrivé à Lord Noircénoir, l'ancien seigneur du donjon ? Pour le savoir, recommence l'aventure au 1 !

À la fin de la matinée, les Légendaires, escortant les deux parents, parviennent à l'orée d'une vaste forêt.

— C'est ici que nous l'avons vue pour la dernière fois, dit le père.

— Au petit matin, elle avait disparu, renchérit la mère.

Gryf se met au travail et inspecte les alentours grâce à son odorat surdéveloppé.

— Snif snif... ça sent le feu de bois, les haricots en boîte et le coulis de tomate.

— Oui, acquiesce le père. C'est bien ce qu'on a mangé hier.

— Chhhut, dérangez pas l'artiste, grogne le jaguarian. Et là une autre odeur... ça sent drôlement... mais... OH ! s'exclame le Légendaire, surpris.

— Quoi ? s'écrient ses compagnons en chœur.

— Des Orcs... ce sont eux qui ont enlevé votre fille, déclare Gryf, le visage sombre. Ils l'ont emmenée dans la forêt.

— Mon dieu, ma petite Lilaaaaaa ! sanglote la mère, bouleversée.

— Ne vous inquiétez pas, les rassure Razzia. Foi de Razzia, on va vous la ramener, et en un zeul morzeau ! Attendez-nous izi, z'est plus prudent !

Sans l'ombre d'une hésitation, les Légendaires s'élancent entre les arbres sur les traces des Orcs.

Suis le groupe, Légendaire. Rends-toi au 62

— *F*ormation de combat, Légendaires ! ordonne Danaël. Lila, toi, tu sors de la salle.

— Mais je peux vous aider, ronchonne la jeune fille.

— Shimy, conduis-la à l'extérieur, s'agace le chevalier.

— Avec joie !

L'elfe est en train de revenir, quand le dragon surgit soudain dans la brèche. Furieux de voir des intrus dans son antre, il se jette sur les Légendaires.

Le combat fait rage, jusqu'à ce que la bête crache une gerbe enflammée, inondant la pièce d'un plasma brûlant qui atteint rapidement les cinq compagnons.

Les Légendaires, gravement brûlés, sont obligés de s'enfuir.

Si proche du but, quel dommage d'échouer dans ta quête !
Recommence au 1 pour changer ton destin !

*L*es Légendaires aident les deux ingénieurs à orienter le canon vers la tour du dragon.

— On va lui griller les cornes, glousse le premier.

— Chaud devant ! déclare le second en chargeant l'arme.

Puis, dans un vacarme infernal, ils actionnent le mécanisme de mise à feu. L'engin de guerre bondit en crachant trois comètes incandescentes vers la tour.

Aussitôt, le feu se propage alors que les ingénieurs rechargent le canon. Rapidement, tout le donjon est en flammes.

— Regardez ! s'exclame Gryf. Le dragon ! Il s'envole.

Une grande silhouette ailée traverse les volutes de fumée noire.

— Il se dirige par ici. En ordre de bataille ! hurle le chef.

— Z'est inutile, dit Razzia. Il z'en va...

Effectivement, le dragon se détache bientôt sur l'horizon dégagé.

— Où va-t-il ? s'étonne le chef, dépité.

Avant que quelqu'un ait pu répondre, d'horribles hurlements s'échappent du donjon en flammes.

— Oh non ! Il... Il y a des gens dans le donjon ! comprend Jadina avec effroi.

— Nous ne le zavions pas, poursuit Razzia.

— Qu'avons-nous fait ? réalise Danaël dans un murmure horrifié.

Le cœur lourd, les Légendaires et les mercenaires assistent à la tragédie qu'ils viennent de causer. Le dragon n'a pas été vaincu et des innocents sont pris au piège par le feu. Il est trop tard pour les sauver...

Tu as tristement échoué dans ta quête, Légendaire.
Peut-être, en reprenant au numéro 1 et en faisant des choix différents, parviendras-tu à vaincre le dragon une bonne fois pour toutes !

*J*adina et Gryf s'agitent dans tous les sens sous les regards de leurs compagnons. Au final, Jadina brandit victorieusement un gâteau aplati d'un côté et dégoulinant de l'autre à l'aspect peu engageant.

— Heuuu... Z'est moi ou za zent les pieds ? bredouille Razzia.

Vexée, Jadina rajoute l'élixir de Lord Noircénoir pour endormir la bête, et décide de l'apporter elle-même au dragon. Prenant un tablier et une toque de cuisine, elle grimpe les escaliers menant à l'antre du dragon, suivie par ses compagnons.

— Je ne suis pas sûr que ça lui plaise, hésite Gryf. C'est vrai que ça sent un peu les pieds.

— Puisque c'est comme ça, j'irai toute seule !

Jadina entre dans la salle où dort la bête. Le mur côté sud est effondré, les meubles sont renversés et les rideaux lacérés. Le dragon dort au centre de la pièce, sur un gros tas d'objets en or.

Il se met à grogner à l'arrivée de la magicienne.

— Votre quatre-heures, monseigneur le dragon, dit Jadina.

Elle pose la pâtisserie devant son énorme gueule. Il la renifle d'un air suspicieux.

— Ça sent les pieds, rugit-il. Et puis, qui es-tu, toi ? Je ne t'ai jamais vue ici ! Tu n'essaierais pas de m'empoisonner ?

Jadina, paniquée, tente de s'enfuir, mais le dragon l'arrête d'un coup de griffes. Ses compagnons parviennent à repousser la créature, mais la princesse est trop grièvement blessée pour pouvoir continuer l'aventure.

Ta quête a échoué, Légendaire.
Si proche du but, quel dommage !
Si tu penses que tu peux faire mieux,
recommence l'aventure au 1,
et fais d'autres choix...

$\mathcal{I}$ls descendent une volée de marches et arrivent devant un long pont de pierre enjambant un lac de magma en fusion. De l'autre côté du pont, le passage est bloqué par une herse.

— Ça sent pas bon... renifle Jadina.

— Zé pas moi ! se défend Razzia.

— C'est le soufre, explique Gryf.

Leurs voix sont étrangement amplifiées par l'acoustique du gouffre. Les Légendaires s'avancent prudemment jusqu'au milieu du pont. Ils découvrent une pierre cylindrique sur laquelle a été disposé d'un côté, un plat en argent avec une pièce de monnaie à l'intérieur, et de l'autre, un verre en cristal.

— Étrange, murmure Jadina.

— Regardez, quelque chose est écrit sur le cylindre de pierre, leur fait remarquer Shimy. « Ce qui sonne et trébuche vous précipitera dans l'abîme, alors que ce qui chante et tinte vous ouvrira la porte. » On dirait une énigme, non ?

— Tu as raison, acquiesce Gryf. Quelqu'un comprend ce que ça signifie ?

— Je crois que oui. Il doit falloir faire tomber la pièce qui tintera dans le plateau pour ouvrir la herse, dit Danaël.

— Je crois plutôt qu'il faut utiliser le verre et le faire tinter, réplique Shimy.

— On a pas intérêt à se tromper, les prévient Gryf. Parce que si on donne la mauvaise réponse, c'est le grand bain façon barbecue !

Ce choix peut être fatal, Légendaire, alors réfléchis bien !
Penses-tu qu'il faut faire tomber la pièce contre le plateau ? Va au 88
Ou estimes-tu qu'il faut faire tinter le verre de cristal ? Rends-toi au 71

—Je suis chaud
bouillant ! s'exclame l'enfant-fauve
en s'avançant à deux pas du chevalier
d'Airain.

Gryf arrive à peine aux épaules de son
adversaire.

— Je le voyais pas si grand, murmure
Danaël. Je sais pas si on a fait le bon
choix.

— Vous en faites pas, les potes, je lui
noue les jambes autour du cou en deux
temps, trois... hééé ?!!

Gryf a juste le temps de sauter sur le
côté au moment où la jambe du chevalier
d'Airain se détend dans un bruit de tôle
froissée.

— Il est rapide ! s'inquiète Shimy.

Lors de l'assaut suivant, le Légendaire
parvient à frapper, mais ses griffes entament à peine l'armure.

Le chevalier d'Airain en profite pour
le saisir de son puissant gantelet avant de
le plaquer au sol. Puis, d'une prise tour-
billonnante, il se projette dans les airs et

retombe le coude en avant, sur Gryf, dans un affreux craquement d'os brisé.

Le Légendaire est gravement blessé, il ne pourra pas poursuivre l'aventure…

 Ta quête est un échec, Légendaire. Lila ne retrouvera pas ses parents. Que se serait-il passé si tu avais fait d'autres choix ? Pour le savoir, recommence en 1 !

— *V*ous feriez bien de vous écarter de derrière la porte ! prévient Razzia en prenant son élan. On va entrer !

D'un coup d'épaule, le colosse arrache la porte de ses gonds. Le pauvre geôlier, qui n'avait pas pris l'avertissement au sérieux, se retrouve écrasé dessous.

— Regardez ! s'exclame Gryf.

Un grand garçon maigre, vêtu d'une tunique noire assortie à ses bottes et à ses gants, les observe depuis sa cellule.

— Lord Noircénoir ? demande Shimy.

— Lui-même, répond le seigneur des lieux, très digne malgré la crasse qui l'entoure.

Bravo, Légendaire, tu as retrouvé le seigneur du donjon !
Rends-toi au 69

*P*endant un instant, le dragon est désarçonné de voir la troupe au complet se ruer vers lui. Mais, se débarrassant finalement de Gryf, il crache un jet enflammé sur les Légendaires.

Jadina lance un sortilège de protection pendant que Shimy, utilisant son pouvoir d'elfe élémentaire, arrose la gueule de la créature grâce à l'eau d'un grand baquet.

— Maintenant ! hurle Danaël.

Razzia s'élance en avant, le chevalier sur les talons. Le dragon parvient à jeter Razzia à terre, mais il n'a pas le temps d'éviter l'épée d'or de Danaël. La lame tranche la chaîne qui retenait l'amulette magique autour du cou de la créature.

Aussitôt le dragon se met à diminuer jusqu'à prendre la taille d'un garçon rouquin à l'air terrifié.

— Qui es-tu ? l'interroge rudement Gryf.

— Je... je...

— Parle ou ze te mets une baffe, le

menace Razzia.

— Je suis le majordome de Lord Noircénoir ! s'exclame-t-il en se protégeant la tête.

— Et où il est, ton seigneur ?

— Je l'ai enfermé après m'être transformé grâce à l'amulette dragon...

— Où as-tu trouvé cette amulette ?

— Dans un coffre en faisant du rangement... je suis vraiment désolé.

— Qu'est-ce que tu as fait de mes parents ?! hurle soudain Lila qui s'est avancée, furieuse.

— Tes... parents ? s'étonne le majordome.

— Ne mens pas, on sait que tu les as enlevés ! l'accuse Lila.

— Mais je n'ai enlevé personne... j'ai brûlé quelques maisons, c'est tout !

— Ils étaient à l'orée des bois, ils m'attendaient... Ils portent des vêtements verts et rouges.

— Verts et rouges ? s'étonne le garçon. Avec des chapeaux en paille ?

— Oui !

— Ils étaient avec les mercenaires que j'ai mis en fuite... Je les ai vus.

— Tout s'explique, dit Danaël à Lila. Tes parents ont dû croiser les mercenaires et comme ils s'inquiétaient trop pour attendre sur place, ils se sont joints à eux. Maintenant que l'on sait ça, on va les retrouver.

— Quant à toi, déclare Jadina en attrapant le majordome par l'oreille, il va falloir payer pour tous les dégâts que tu as causés !

Bravo, Légendaire, le dragon est neutralisé et Lila va pouvoir retrouver ses parents !
C'est un succès !
Peut-être y avait-il d'autres moyens de parvenir à vaincre le dragon...
Que se serait-il passé si tu avais fait des choix différents ?
Pour le savoir, recommence l'aventure au 1 !

*R*azzia ouvre sans ménagement un passage à Gryf et à Danaël à travers le rang de mercenaires. Alors que l'enfant-fauve arrache le mécanisme de mise à feu, Danaël coupe le canon d'un coup d'épée. L'arme, désormais inutilisable, gît sur le sol.

— Vous nous paierez ça ! hurle le chef des guerriers en s'enfuyant.

— Bien, et maintenant qu'on est débarrassé de ces incapables… On fait quoi ? demande Jadina.

— On entre dans le donjon et on va trouver ce dragon, déclare Danaël.

— Ouais ! Et on va lui montrer qui sont les Légendaires ! approuve Gryf.

— Allons-y, dit Jadina. L'entrée doit être de l'autre côté.

Il va falloir affronter la bête, Légendaire. En auras-tu le courage ?
Rends-toi au 85

— *F*aux, hurlent les trois têtes en même temps. ***Il s'agissait de la rivière !***

Puis elles se mettent à cracher un jet de lave en fusion. Les Légendaires sont obligés de s'enfuir, gravement brûlés. Ils ne pourront poursuivre l'aventure.

Cette quête est un échec, Légendaire. Tu ne sauras jamais ce qu'il est advenu de Lord Noircénoir et le dragon pourra continuer à ravager la région... sauf si tu recommences en 1 et que tu réussis en faisant d'autres choix !

— On aurait quand même dû prendre un pique-nique ! soupire Razzia.

Les cinq compagnons s'enfoncent dans la forêt au pas de course, sur la piste des mercenaires.

— Pas le temps, réplique Jadina, la nuit ne va plus tarder. On doit retrouver les mercenaires avant qu'ils n'arrivent au château. Seuls, ils n'ont aucune chance face au dragon.

Après une heure de marche, ils traversent un campement désert.

— Ça sent l'Orc, commente Gryf en reniflant.

— Ils ont dû fuir en entendant les mercenaires.

Les Légendaires s'engagent sur un petit chemin accidenté. La piste dans les fourrés est facile à suivre malgré la lumière déclinante.

— J'aperçois les tours du donjon ! s'exclame Shimy.

Soudain un cri terrible ébranle les environs.

— C'était quoi, ça ? s'inquiète Gryf.

— Un dragon, répond Razzia.

— Dépêchons-nous ! ordonne Danaël.

Arrivés à la lisière de la forêt, les cinq compagnons marquent une pause.

Au loin, une douzaine de mercenaires en formation de combat tentent de repousser un énorme dragon, mais leurs flèches rebondissent sur les écailles luisantes de la créature. Deux des mercenaires, à l'écart, sont en train de monter un petit canon.

— Ils vont ze faire tailler en pièzes, dit Razzia.

— Il faut intervenir, décide Shimy. On ne peut pas laisser faire ça.

— Attendons encore un peu, peut-être qu'il y aura une ouverture, propose Gryf, pas vraiment rassuré par la taille du dragon.

Fais ton choix, Légendaire !
Pour te lancer à l'assaut de la bête,
rends-toi au 28
Pour attendre une opportunité,
rends-toi au 38

*J*adina parvient à lancer son sortilège, créant une petite tornade de feu. Aussitôt, les branches se rétractent.

— Bravo, Jadina ! s'exclame Gryf.

Mais la pluie qui tombe sur la forêt a tôt fait d'éteindre le brasier. Le Gorgolt repasse alors à l'attaque, emportant Shimy dans sa gueule.

Avant que Razzia et Danaël n'aient le temps d'intervenir en frappant le monstre aux racines, l'elfe est grièvement blessée. Elle ne peut poursuivre l'aventure.

Ta quête a échoué, Légendaire.
Lila ne retrouvera pas ses parents...
Tu aurais sûrement pu t'en sortir
si tu avais fait d'autres choix.
Recommence en 1 !

*L*es Légendaires doivent forcer l'entrée du mausolée tant les lianes et les herbes folles ont grippé le mécanisme.

— Ça n'a pas l'air très solide, les met en garde Jadina. Vous êtes certains que Lila n'avait pas raison ?

Ne tenant pas compte de son avertissement, Razzia pousse de plus belle. Les murs s'écroulent alors dans un grondement assourdissant.

Gravement blessés, les Légendaires doivent fuir le donjon pour aller se soigner.

Ta quête vient d'échouer, Légendaire.
Le temps que tu sois rétabli,
le dragon aura ravagé toute la région...
Si tu penses qu'en faisant d'autres
choix tu réussiras à le vaincre,
recommence en 1 !

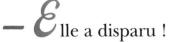

— *E*lle a disparu !

— Huuuuum ? grogne Gryf qui peine à ouvrir les yeux. C'est même pas l'aube.

— Lila, reprend Shimy, elle est partie sans nous attendre.

— QUOI ? hurlent ses compagnons de concert.

— Elle s'est sans doute juste éloignée pour faire pipi… suppose Jadina.

— Je ne crois pas, dit Danaël, elle a emporté toutes les affaires qu'elle avait récupérées au campement des Orcs.

— On doit la rattraper avant qu'il ne lui arrive malheur, ajoute Razzia.

Danaël s'élance dans les bois sans perdre une minute.

— Légendaires, en avant !

Hâte-toi, Légendaire !
Rends-toi au 37

*L*es six compagnons finissent de traverser le pont au pas de course, puis franchissent une vaste salle d'armes avant d'arriver devant l'escalier menant au sommet de la tour.

— Je passe devant, décide Danaël. Razzia, tu fermes la marche.

L'arme au clair, prêts au combat, ils gravissent avec prudence les innombrables marches. À leur arrivée au sommet, la porte menant dans l'antre de la bête est entrouverte. Le mécanisme de fermeture a été brisé. Danaël jette un œil rapide à l'intérieur.

Le mur côté sud est effondré, les meubles sont renversés et les rideaux sont lacérés. Le dragon dort au centre de la pièce, sur un gros tas d'objets en or.

— On devrait utiliser les potions pour s'approcher de lui et lui voler le pendentif ! propose Lila. Le tout est de savoir laquelle sera la plus utile.

— Si je me rends invisible, avec ma rapidité, je pourrais facilement lui arracher son pendentif, décrète Gryf.

— Et moi, dit Razzia. Avec la pozion de zilenze, ze m'avanze zans faire de bruit et ze l'azzomme d'un bon coup zur la tête. *PAF !* Et après ze récupère le pendentif.

— Je pense qu'il serait plus judicieux que ce soit Gryf qui y aille, le coupe Danaël, mais en utilisant la potion déodorante, ainsi le dragon ne le sentira pas arriver.

— La nuit va tomber, les prévient Shimy. Décidez-vous rapidement !

C'est un choix crucial, Légendaire !
S'il te paraît judicieux de laisser Gryf attaquer seul après avoir bu la potion d'invisibilité, rends-toi au 6
Si tu penses que Razzia, avec la potion de silence, a plus de chance de réussir, rends-toi au 49
Si, au contraire, tu penses qu'il vaut mieux que ce soit Gryf, mais avec la potion déodorante, rends-toi au 26

*G*ryf active la pompe à main pendant que Razzia, Danaël et Jadina combattent l'incendie. Shimy apporte des seaux pour les remplir d'eau, puis elle utilise son pouvoir pour disperser l'eau sur les flammes.

— Il faut plus d'eau ! hurle Shimy.

— Je fais ce que je peux ! répond Gryf.

En conjuguant leurs efforts, ils parviennent à circonscrire l'incendie, mais aussitôt, le dragon allume un autre foyer, puis un troisième. L'air devient rapidement irrespirable et les Légendaires sont vite dépassés. La charpente de l'auberge commence à craquer, affaiblie par les flammes, puis elle s'effondre sur les compagnons.

Au petit matin, avec l'aide de Pattenbois, ils parviennent enfin à s'extraire de sous les décombres. Brûlés, intoxiqués par la fumée, ils sont incapables de poursuivre l'aventure...

Ta quête est un échec, Légendaire. Tu ne sauras jamais ce qu'est devenu Lord Noircénoir... Pour faire d'autres choix et tenter de le découvrir, recommence en 1 !

*G*ryf, après avoir bu la potion déodorante, se renifle les dessous de bras.

— Waaaaa ! Ça sent rien du tout ! Faudra que je leur demande la formule. On pourrait faire fortune avec cette potion !

— Parle pour toi ! se moque Shimy. Tout le monde sait bien qu'une fille, ça sent jamais sous les bras.

— Heuu, ze voudrais pas vous affoler, mais faudrait penzer à aller récupérer l'amulette...

— J'y vais, murmure Gryf en s'engageant dans la pièce.

Contre toute attente, la bête ne se réveille pas... jusqu'à ce que Gryf se saisisse du médaillon en forme de dragon qui pend à son cou massif. La créature ouvre alors un œil. L'enfant-fauve tire d'un coup sec pour casser la chaîne, mais celle-ci tient bon.

Le dragon s'ébroue alors dans tous les sens, emportant avec lui Gryf qui refuse de lâcher prise.

— À l'aiiiide ! hurle l'enfant-fauve. Je vais vooomir !

— Ze vais l'aider, vous, reztez izi ! déclare Razzia en prenant la potion d'invisibilité.

— Non ! Il faut agir en équipe, réplique Danaël. Shimy et Jadina, vous détournez l'attention du dragon avec vos pouvoirs pendant que Razzia m'ouvre la voie. Dès que je suis à sa portée, je coupe la chaîne de l'amulette à l'aide de mon épée d'or.

Tout va dépendre de ce dernier choix, Légendaire !

Pour laisser Razzia agir avec la potion d'invisibilité, rends-toi au 9

Si tu penses que la réussite de cette quête passe par une action d'équipe, rends-toi au 17

— **B**on, zé pas tout za, mais où elle est zette gamine ? demande Razzia en contemplant les innombrables escaliers, tours et passerelles s'entrecroisant dans tous les sens.

— Hé ! J'ai entendu quelque chose ! déclare Gryf. Venez ! Suivez-moi.

Ils s'engagent dans un escalier sur leur droite, traversent une cour intérieure et débouchent dans un petit jardin mal entretenu.

— Là-bas ! s'écrie Jadina en désignant une vieille passerelle en bois qui surplombe le jardin. Regardez !

Lila est là… poursuivie par trois énormes trolls dont les pas pesants ébranlent le bois pourri de la passerelle.

— Il faut intervenir ! déclare Danaël.

— Laissez-moi faire, lance Shimy, grâce à mon pouvoir d'elfe élémentaire, je vais créer un serpent géant pour aller la récupérer.

— Pas la peine, réplique Razzia en testant la résistance des piliers soutenant la construction. Lila vient par izi. Quand elle zera pazzée, je ferais z'écrouler la pazzerelle, zes piliers ne zont pas bien zolides. Les Trolls zeront coinzés de l'autre côté.

— Je ne crois pas que ce soit une bonne idée, monsieur muscle ! s'agace Shimy. Cette passerelle tient debout par miracle ! On risque de tout se prendre sur la tête...

À toi de choisir, Légendaire !
Si tu penses que Shimy doit utiliser ses pouvoirs, rends-toi au 29
Si tu préfères donner sa chance à Razzia, rends-toi au 45

— **A**ttends ! s'exclame Danaël alors que Razzia s'apprête à attaquer.

— Pourquoi ? s'impatiente le colosse.

— Il nous faut un plan d'attaque. Shimy et Jadina, vous nous couvrez en utilisant vos pouvoirs. Gryf, tu avances sous le couvert des arbres pour attaquer de flanc.

— Et nous ? demande Razzia, pressé d'en découdre.

— Nous, on attaque de front ! déclare le chevalier.

À l'attaque, Légendaire !
Rends-toi au 100

— C'est parti ! dit Shimy en plaquant sa main contre le sol.

Aussitôt, un serpent de roche et de terre s'élève à la hauteur de la passerelle, emportant Shimy sur sa tête.

Lila, voyant la créature se dresser devant elle, croit sa dernière heure arrivée.

— Ne t'inquiète pas ! la rassure l'elfe. Je sais bien qu'on est pas les meilleures amies du monde, mais tu peux me faire confiance. Viens avec moi !

Après un court instant d'hésitation, la jeune fille rejoint la Légendaire d'un bond.

— Et les Trolls ? demande Lila, toujours pas rassurée.

— Ne t'en fais pas, répond l'elfe avant de lancer : attaque crache-pierre !

Aussitôt, le serpent ouvre sa gueule et un puissant jet de graviers frappe les trois trolls qui se mettent à hurler de douleur. Ils tournent les talons et s'enfuient.

— Merci, Shimy... Sans toi, ils m'auraient dévorée !

— Ouais, ben tu as quelques explications à nous donner, ma belle. Le serpent les dépose sur le sol et Lila continue :

— Je suis désolée. J'étais tellement énervée quand j'ai vu que mes parents avaient été enlevés que je n'ai pas pu attendre l'aube.

— N'oublie pas qu'on a aucune preuve que c'est bien le dragon qui les a enlevés, rappelle Danaël.

— Je sais bien… mais il est possible aussi qu'ils aient décidé de venir me chercher et dans ce cas, ils sont forcément par ici.

— On t'a promis de les retrouver, et on tiendra notre promesse, déclare Gryf, protecteur.

— Par contre, j'ai appris que le dragon tirait son pouvoir d'une amulette magique qu'il aurait autour du cou ! s'exclame la jeune fille avec fierté. Il suffirait de la lui arracher pour le vaincre et je sais aussi qu'il dort dans la tour la plus haute du château.

— Qui t'a dit ça ? s'étonne Danaël.

— Je sais que c'est pas beau, mais j'ai écouté aux portes... c'était juste avant que les Trolls me surprennent.

— Ce sont des informations importantes, approuve le chevalier. En avant, Légendaire, il n'y a pas une minute à perdre !

Le dragon est désormais à portée de main !
Rends-toi au 43

*G*ryf saute d'une corniche à l'autre avec agilité, mais au moment de refermer sa main sur les œufs, un grand mâle s'abat sur lui et lui lacère sauvagement le visage. Assailli de partout, l'enfant-fauve panique et bascule dans le vide.

Gryf hurle. Il doit être soigné de toute urgence ! Ses compagnons sont obligés de fuir le donjon.

Ta quête a échoué, Légendaire, le dragon pourra continuer à incendier les villages le temps que Gryf soit remis sur pied. Il existe sûrement une façon de le vaincre !
Pour retenter ta chance, recommence au 1.

– *V*oilà pour toi !
hurle Jadina en électrisant avec son bâton-aigle le gros Feurbyes de la meute.

La créature se met à glapir de douleur. Pendant ce temps, les autres Légendaires ont réussi de leur côté à repousser leur adversaire. Bientôt toute la meute s'enfuit en poussant de petits cris terrifiés.

Belle bataille, Légendaire !
Rends-toi au 74

*L*es Légendaires s'attablent autour d'une bonne potée de choux et de lardons afin de reprendre des forces.

— Demain à l'aube, nous gagnerons le donjon et nous essaierons d'en savoir plus sur ce qu'est devenu le seigneur Noircénoir, dit Danaël.

— En espérant qu'il puisse nous aider à vaincre le dragon, soupire Shimy.

— En espérant surtout qu'il soit toujours en vie, réplique Jadina.

— Hésitez pas à demander de l'aide au gardien, à l'entrée du donjon, déclare l'aubergiste en leur servant à boire. C'est un brave type et il aimait bien son seigneur.

— Un gardien ?

— Oui, son métier lui tient vraiment à cœur. Il a choisi de rester à son poste en dépit de ce qui est arrivé…

— Et vous, vous n'avez pas été attaqué par le dragon ? s'étonne Gryf.

— Pas encore, mais je sais me défendre ! répond Pattenbois avec fierté. Vous comptez prendre des chambres pour la nuit ?

— Oui, nous partirons à l'aube.

— Alors je vous offrirai le pique-nique, c'est bien le moins que je puisse faire si vous arrivez à nous débarrasser de ce fléau !

— Zénial ! s'exclame Razzia.

Après avoir mangé, les Légendaires vont se coucher. Dehors la nuit est tombée.

 Il est temps de prendre un peu de repos, Légendaire. Rends-toi au 86

Après avoir traversé trois salles vides, ils empruntent un long pont de pierre reliant l'aile droite du donjon à la tour du dragon. Ils sont à mi-chemin quand des bruits de bataille se font entendre au loin, en contrebas, du côté de l'entrée principale.

— Regardez ! s'exclame Lila. Le donjon est attaqué !

Devant le pont-levis, une troupe d'une douzaine de mercenaires armés jusqu'aux dents tente de pénétrer dans le château.

Soudain, un hurlement terrifiant ébranle les fondations de la forteresse...

Un dragon énorme, aux écailles luisantes sous la lumière du crépuscule, s'élance du haut de la tour, et plonge vers les mercenaires affolés.

— Cachez-vous ! murmure Danaël.

Les six compagnons s'abritent derrière le muret alors que le dragon passe sous le pont, à quelques mètres d'eux seulement.

— En terrain découvert, ils n'ont aucune chanze, déclare Razzia en jetant un coup d'œil sur la bataille.

— Ça va être un carnage, acquiesce Gryf.

Les mercenaires, malmenés par les assauts de la bête, trouvent refuge sous le couvert de la forêt pour tirer. Mais les flèches rebondissent sur la cuirasse de la créature dont le souffle enflammé réduit les arbres en cendres.

— Le dragon va revenir, déclare Danaël.

— Profitons-en pour l'attaquer quand il passera sous le pont ! propose Gryf. Je lui saute dessus et je lui arrache son pendentif !

— Pas évident, mais za peut marcher, approuve Razzia.

— C'est l'idée la plus stupide que j'aie jamais entendue ! rétorque Jadina. Et si tu sautes à côté ? Ou que tu n'arrives pas à t'accrocher à son dos ? Non, on reste caché et on prend le temps de réfléchir à un véritable plan !

 Tu dois te décider rapidement, Légendaire !
Si tu penses que Gryf a une bonne chance de réussir à sauter sur le dos du dragon, rends-toi au 73
Si, comme Jadina, tu estimes au contraire que c'est trop risqué, rends-toi au 41

—*J*e vois que vous avez pris votre décision, déclare le chevalier. Qui va m'affronter ?

— Quelle est l'épreuve ? l'interroge Danaël.

—J'ai besoin d'exercice en ce moment, ça sera donc une épreuve de force ! On va faire un peu de lutte à main nue.

— Je le sens bien ! Laissez-moi lui donner une leçon, déclare Gryf en mimant un combat de boxe, esquivant et frappant dans le vide.

— Ze crois qu'il zerait plus zage que ze zoit moi, réplique Razzia en faisant craquer sa nuque.

— Dépêchez-vous, tonne le chevalier d'Airain. Je m'impatiente !

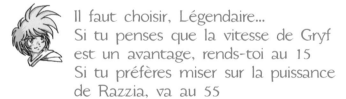

Il faut choisir, Légendaire...
Si tu penses que la vitesse de Gryf est un avantage, rends-toi au 15
Si tu préfères miser sur la puissance de Razzia, va au 55

*L*es Légendaires contemplent les ruines fumantes de ce qui, apparemment, était un grand et beau village. Les habitants ont tous fui, sauf un villageois occupé à trier quelques objets qui ont survécu au feu.

— Dites-moi, mon ami, que s'est-il passé ici ? l'interroge Gryf.

— C'est un dragon qui a attaqué le village ! réplique le garçon, manifestement en colère, les mains barbouillées de cendres.

— Un dragon ? s'exclame Shimy.

— Oui, et un gros ! Il terrorise toute la région. Il paraît qu'il vivrait dans le donjon du seigneur Noircénoir, déclare le garçon en montrant la route partant vers l'est.

— Et pourquoi le seigneur de ce donjon ne s'occupe-t-il pas de chasser ce dragon de ses terres ? l'interroge Jadina. Parce que nous, on avait d'autres projets pour cette semaine !

— Hélas, notre noble seigneur semble avoir disparu, peut-être tué par le dragon... C'est une perte terrible.

— Nous allons donner une bonne leçon à ce dragon et retrouver votre seigneur s'il est encore en vie ! s'exclame Danaël. N'est-ce pas, Légendaires ?

— On va lui mettre la pâtée à ze dragon ! acquiesce Razzia en tapant du poing dans sa main.

— On devrait peut-être d'abord aller jeter un coup d'œil dans les ruines du village... propose Gryf. On ne sait jamais, peut-être reste-t-il des personnes coincées sous les décombres ?

Prends une décision, Légendaire !
Veux-tu partir en quête de la bête tant que la piste est fraîche ?
Va au 54
Préfères-tu fouiller les ruines du village avant de partir en quête ?
Rends-toi au 48

$\mathcal{A}$près une vingtaine de marches, les Légendaires se retrouvent bloqués par une imposante porte en métal, semblant peser des tonnes, dans laquelle s'ouvre un judas.

— On fait quoi ? demande Gryf.

— Le mot de passe ! grogne une voix derrière la porte.

— Heu... on est nouveau et...

— Si vous n'avez pas le mot de passe, fichez le camp d'ici.

Et aussitôt, le judas se referme dans un claquement sec.

— Faudrait lui apprendre la politesse, à ce type, commente Jadina. On défonce la porte et on lui met une bonne fessée !

— On est trop proche du dragon, il rizquerait de nous entendre, dit Razzia. On devrait tenter l'ezcalade jusqu'à la tour. Les corniches zont azzez larges.

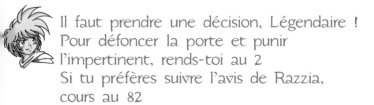

Il faut prendre une décision, Légendaire !
Pour défoncer la porte et punir l'impertinent, rends-toi au **2**
Si tu préfères suivre l'avis de Razzia, cours au **82**

Après avoir arpenté les bois une grande partie de la matinée, un orage éclate. Les Légendaires s'abritent alors sous un grand arbre où la jeune fille semble s'être reposée un moment.

— En tout cas, j'avais raison, remarque Gryf en s'asseyant dans l'herbe grasse.

— À propos de quoi ? l'interroge Shimy.

— Lila est pleine de ressources... Elle a réussi à nous fausser compagnie et marcher de nuit en pleine forêt !

— Peut-être... mais rien ne nous dit qu'elle est encore en vie, rétorque l'elfe en haussant les épaules.

— Z'est étranze, dit Razzia en inspectant les traces au sol. Tandis que la pluie redouble d'intensité, Danaël s'approche de lui.

— Qu'est-ce qui est étrange ? demande-t-il.

— On dirait qu'elle a fui zet endroit très vite, comme z'il y avait eu un danzer.

— Ce qui est vraiment bizarre, ajoute Gryf en levant les yeux, ce sont les branches de cet arbre qui s'agitent alors qu'il n'y a pas de vent.

Razzia s'avance pour toucher l'écorce mouillée. Soudain il se met à hurler.

— Il faut partir d'ici, vite ! Ce n'est pas un arbre !

Mais les cinq compagnons n'ont pas le temps de réagir. Les branches se détendent comme les lanières d'un fouet pour venir les saisir et les entraîner vers une large gueule hérissée d'épines s'ouvrant à la base du tronc.

— Un gorgolt ! s'écrie Razzia en résistant. Z'est un monztre redoutable, mais il a les razines zenzibles ! Z'est zon point faible !

— C'est un arbre, rappelle Jadina en se tortillant pour échapper à l'étreinte. Et ce

que les arbres n'aiment pas, c'est le feu !
Je vais le faire brûler avec un sortilège.

Le choix t'appartient, Légendaire.
Si tu veux suivre l'avis de Razzia
et frapper les racines, va au 83
Si tu penses qu'il est plus judicieux
de lancer un sortilège de feu, va au 21

*L*es mercenaires, après avoir résisté quelques instants, sont violemment repoussés dans les bois à grands coups de crocs. Plusieurs d'entre eux sont blessés.

— Ils prennent une sacrée déculottée ! murmure Jadina. On devrait peut-être leur donner un coup de main, non ?

— C'est trop tard, dit Danaël. On aurait dû attaquer avant. Maintenant, on se retrouverait à combattre seuls. Il vaut mieux attendre un moment plus propice…

— Mais on peut pas les laisser se faire massacrer sans réagir ! s'insurge la princesse.

Tu dois faire ton choix, Légendaire.
Pour attendre encore, rends-toi au 92
Si tu veux maintenant passer
à l'attaque, rends-toi au 70

*L*es cinq compagnons, après avoir été chaudement remerciés de leur aide par les mercenaires, observent l'étrange canon en forme de serpent que deux ingénieurs sont en train de finir de monter.

— C'est une arme magique très ancienne, explique le premier ingénieur.

— Avec ça, il y a de quoi faire rôtir tout Alysia, déclare le second en montrant aux Légendaires un sac contenant des billes de soufre.

— Un canon cracheur de boules de feu, commente Razzia. Z'en ai dézà vu un à l'œuvre pendant une bataille navale. La plupart des navires ennemis avaient été inzendiés. Z'est une arme redoutable.

— Qu'allez-vous en faire ? demande Jadina.

— On va raser ce donjon ! s'esclaffe le chef des mercenaires.

— Mais c'est stupide ! s'exclame Gryf. On ne sait même pas s'il y a des gens à l'intérieur. Vous risquez de tuer des innocents.

— Vous pourriez même faire brûler toute la forêt, ajoute Shimy.

— Mais ce monstre doit être chassé, réplique Jadina. Et le canon est une bonne solution, n'est-ce pas, Danaël ?

— Heu... oui, dit le chevalier, un peu dubitatif. Je suppose. On ne peut pas laisser le dragon réduire la région en cendres.

Prends une décision, Légendaire.
Pour suivre l'avis de Gryf et de Shimy et empêcher le canon de tirer, rends-toi au 56
Si au contraire tu penses que raser le donjon est une bonne solution, rends-toi au 12

— **F**aux, hurlent les trois têtes en même temps. *Il s'agissait de l'avenir !*

Puis elles se mettent à cracher du feu. Les Légendaires sont obligés de s'enfuir, gravement brûlés. Ils ne pourront poursuivre l'aventure.

Cette quête est un échec, Légendaire. Tu ne sauras jamais ce qu'il est advenu de Lord Noircénoir et le dragon pourra continuer à ravager la région. Pour faire d'autres choix, recommence en 1 !

*P*endant que les Légendaires réfléchissent à un plan, une voix tonitruante s'élève en faisant trembler les murs du château.

— J'ai peut-être une mauvaise vue et j'entends plus grand-chose, tonne le dragon aux mercenaires qui s'enfuient, mais j'ai le meilleur odorat qui soit ! Alors ne revenez plus, ou vous finirez dans mon estomac !

En quelques coups d'ailes puissants, la créature retourne dans son antre, au sommet de la tour.

— Vous auriez dû me laisser tenter le coup, grommelle Gryf.

— Et, à l'heure qu'il est tu serais peut-être mort, le rabroue Jadina. Tu devrais plutôt me remercier d'être la seule ici à avoir du bon sens.

— Avançons, déclare Danaël. On débattra de ça plus tard.

Auras-tu le courage d'aller au bout, Légendaire ?
Rends-toi au 24

*R*azzia arrache le lustre dont il récupère la chaîne pendant que ses compagnons s'activent pour préparer le piège.

— Vite ! s'écrie Lila. Il arrive.

Ils passent la chaîne par-dessus la brèche et laissent pendre le nœud coulant en travers, de manière à ce que la créature y plonge en atterrissant.

— Cachez-vous, maintenant ! dit Danaël.

Le dragon, encore en colère d'avoir dû écourter sa sieste pour chasser les mercenaires, atterrit dans son antre. Il passe la tête dans le nœud coulant qui se resserre brusquement.

— Maintenant, Légendaires ! crie le chevalier à l'épée d'or.

Paniquée, la créature se débat, resserrant encore davantage la chaîne autour de son cou. Incapable de cracher du feu, il tente de griffer les attaquants, trop agiles pour lui. Dans sa rage impuissante, il trébuche en arrière, s'emmêle les ailes dans la chaîne et chute trente mètres plus bas, s'écrasant sur la toiture du réfectoire.

Les six compagnons observent la créature inerte.

— Ze crois que ze coup-ci, il a zon compte, dit Razzia.

— Hum hum, acquiesce Shimy. Même un dragon ne peut pas survivre à une telle chute. Mais il l'avait bien mérité, après tout ce qu'il a réduit en cendres...

— Allons retrouver tes parents, Lila, termine joyeusement Jadina. Désormais, le dragon ne sera plus un problème pour votre village !

Bravo, Légendaire : tu as mené ta quête à bien !
Si tu n'avais pas fait les mêmes choix, peut-être aurais-tu trouvé d'autres indices sur l'identité du dragon ou sur ce qui est vraiment arrivé à Lord Noirecénoir, l'ancien seigneur du donjon ? Pour le savoir, recommence l'aventure au 1 !

$\mathscr{A}$vançant en silence, les Légendaires arrivent face à un grand bâtiment tout en vitres qui reflète le soleil couchant.

— C'est une serre pour faire pousser des fruits et des légumes, explique Jadina. On en a de semblables dans mon royaume.

Tandis qu'ils entrent, une douzaine de jardiniers en tabliers maniant pelles et râteaux se tournent vers eux dans un silence soupçonneux.

— Hum… bonjour ! lance Gryf. Alors, ça pousse ?

Mais aucun des douze jardiniers ne lui répond. Ils viennent se placer devant les six compagnons, armés de leurs outils.

— Bon, je crois qu'il va falloir leur causer un autre langage, dit Gryf en se préparant à se battre.

— Tu ne vas pas taper sur un jardinier ? s'offusque Jadina. Je suis sûr qu'ils nous laisseront passer si on leur demande.

— Tu vas te prendre un coup de râteau si tu fais ça, la prévient Gryf.

— Mais non, laisse-moi faire.

Que choisis-tu de faire, Légendaire ?
Écouter Jadina et leur demander
de passer ? Rends-toi au 60
Suivre l'avis de Gryf et attaquer ?
Rends-toi au 3

*G*ryf a juste le temps de rattraper Lila avant qu'elle n'entre dans le cimetière. En voyant qu'elle commence à râler, il lui fait signe de se taire. Derrière la grille, six animaux massifs aux crocs longs comme des sabres sont assoupis sur l'herbe, entre les tombes.

Le petit groupe les rejoint à pas feutrés.

— Comment on fait pour atteindre l'entrée secrète ? murmure Jadina.

— Je suis le plus rapide : je vais détourner leur attention pendant que vous chercherez le mausolée, répond Gryf. Je vous rattraperai après.

— Il ne faut pas se séparer, réplique Danaël. Passons par une autre entrée sans les réveiller.

Il faut faire ton choix, Légendaire.
Si tu estimes que Gryf est assez rapide, va au 97
Si tu accordes ta confiance à Danaël, va au 61

—Écartez-vous ! les préviennent Razzia en prenant place entre deux piliers vermoulus.

Prudemment, ses compagnons font un pas en arrière.

— Tu es certain ? s'inquiète Jadina. Je crois qu'on aurait mieux fait d'écouter Shimy.

— Pas de zouzis, les amis ! À la une ! À la deux ! À la trois ! hurle le colosse en poussant. Dès que Lila est passée, il écarte les deux piliers qui cassent d'un coup sec. Toute la passerelle s'effondre alors comme un jeu de dominos. Lila parvient à sauter in extremis sur une gargouille en pierre. Les trolls, eux, n'ont pas le temps de reculer. Ils sont précipités dans le vide.

Razzia tente de s'écarter, mais des tonnes de décombres lui tombent sur le dos...

— Raaaah ! s'écrie le colosse en s'effondrant.

 Razzia ne pourra pas continuer l'aventure, ta quête a échoué... Aurais-tu pu réussir en faisant d'autres choix ? Recommence en 1 pour le savoir !

— *L*ila peut nous accompagner ! tranche Danaël malgré le regard noir de Shimy.

La jeune fille saute de joie.

— Attendez-moi ! s'écrie-t-elle en s'engouffrant dans une tente.

Puis elle ressort un instant après avec un sac, quelques provisions et une carte de la région.

— Les Orcs ont dû voler ça à d'autres voyageurs, leur explique-t-elle. Je l'avais repéré pour pouvoir m'échapper d'ici.

— Vous voyez, elle est pleine de ressources ! triomphe Gryf, rapidement rabroué par l'elfe bougonne.

Après avoir jeté un œil sur la carte, les six compagnons s'enfoncent dans l'épaisse forêt, à la recherche du donjon du dragon.

Ne te perds pas en forêt, Légendaire.
Rends-toi au numéro 81

47

*S'*avançant seule face à la meute en furie, Shimy, très calme, lève un bras comme pour les arrêter.

— Forces de la nature, esprits des bêtes, ASSIS !

Mais son pouvoir n'a que peu d'effet sur les Feurbyes... Après un instant de stupeur, ils se jettent sur l'elfe et la mordent profondément avant que ses compagnons n'aient le temps d'intervenir.

Shimy est gravement blessée, il faut l'évacuer d'urgence...

Ta quête est un échec, Légendaire ! Le dragon continuera à ravager la région... Mais en faisant d'autres choix, tu aurais sans doute pu la mener à bien. Recommence au 1 !

— **W**haoooou ! s'exclame Gryf.

— Tu as trouvé quelque chose ? l'interroge Jadina en s'avançant.

— Oui, un gros tas de cendres, se moque l'enfant-fauve en sortant d'une maison dont il ne reste plus que les murs.

— Pff ! souffle la princesse. Ce que tu peux être pénible...

Soudain, les Légendaires tombent nez à nez avec un couple à la recherche de leur fille.

— On s'est enfuis quand le dragon a attaqué le village, explique le père. On s'est arrêtés pour la nuit dans un campement de fortune et, au petit matin, notre fille Lila avait disparu !

— On a pensé qu'elle était peut-être revenue ici... ajoute la mère, en sanglots.

— Où est ce campement ? l'interroge le chevalier.

— Sur la route qui traverse la forêt de Noircénoir. On voulait se rendre chez ma sœur.

— Danaël, on doit les aider ! murmure Shimy, touchée par la détresse des deux parents.

— Mais zi on ne retrouve pas vite ze dragon pour lui mettre une raclée, il rizque de recommenzer et za pourrait être bien pire la prochaine fois… leur fait remarquer Razzia.

Prends une décision, Légendaire !
Si tu décides d'aider les parents
à retrouver leur fille,
alors rends-toi au 10
Tu penses qu'il est plus sage,
dans un premier temps,
de neutraliser le dragon,
va au 57

*R*azzia, sitôt après avoir bu la potion de silence, s'élance dans la pièce... Mais le dragon se redresse bien avant que le colosse soit en position pour l'assommer.

— Tu pensais pouvoir tromper mon odorat ? rugit la créature avec colère. Personne ne me vole !

Et le dragon crache un large jet de flammes qui blesse gravement le Légendaire. Ses compagnons, après avoir détourné l'attention de l'ennemi, parviennent à aider Razzia. Ils s'enfuient, poursuivis par la bête.

Si proche du but... dommage Légendaire ! Ta quête est un échec. Tu aurais pu vaincre si tu avais fait d'autres choix...
recommence en 1 !

*D*anaël bondit en avant et utilise sa lame contre les premières chauves-souris à sa portée. Les créatures maléfiques s'enflamment dans un hurlement terrifiant. Aussitôt, les autres s'enfuient à tire-d'aile.

— Beau travail, Danaël ! le félicite Gryf.

— Dépêchons-nous de passer tant que la voie est libre ! lance le chevalier.

— On te suit !

Au bout de la caverne, ils découvrent une porte fermée à l'aide d'un gros cadenas que Razzia arrache sans ménagement.

— Ça doit être l'entrée des catacombes du donjon, suppose Gryf. Il va falloir être prudent.

— Je ne vois pas ce qui pourrait être pire que des chauves-souris vampires ! réplique Jadina.

— Vous ne trouvez pas qu'il fait très chaud izi ? leur fait remarquer Razzia.

Avance, Légendaire, et prends garde où tu mets les pieds !
Rends-toi au 14

— *L*a réponse est exacte, dit la deuxième tête.

Puis la troisième et dernière tête se tourne vers le groupe dans un crissement de pierre.

— *Je cours toute la journée sans jamais quitter mon lit. Je chante, mais je n'ai pas de bouche. Qui suis-je ?*

— Ce coup-ci, je suis certain que c'est la rivière ! s'écrie Danaël

— Ze pense plutôt que za pourrait être le vent, dit Razzia, qui s'est remis de son petit rhume.

— *Si vous avez la bonne réponse, vous passerez, sinon, vous trépasserez…*

— Sympa, dit Gryf. Alors ? Le vent ou la rivière ?

Il faut te décider, Légendaire !

Pour répondre la rivière, rends-toi au 95
Pour répondre le vent, rends-toi au 19

Alors que Shimy dirige les opérations, Razzia, en véritable commis de cuisine, casse les œufs, bat la pâte, pétrit, touille... Au bout de trente minutes, une magnifique charlotte aux myrtilles embaume la petite cuisine.

Lord Noircénoir verse dessus son élixir pour endormir le dragon.

— Il ne pourra pas y résister, déclare-t-il. J'en ai moi-même l'eau à la bouche.

— Qui va le lui apporter ? demande Danaël.

— Ze vais y aller ! propose Razzia en mettant une toque de chef sur sa tête.

Suivi de loin par ses compagnons, il entre dans l'antre de la bête. Le mur côté sud est effondré, les meubles sont renversés et les rideaux sont lacérés. Le dragon dort au centre de la pièce, sur un gros tas d'objets en or.

Il se met à grogner à l'arrivée du Légendaire.

— Votre quatre-heures, Monzeigneur... heu... le dragon, balbutie Razzia.

Il pose la pâtisserie devant son énorme gueule. La bête renifle le gâteau d'un air suspicieux avant de se lécher 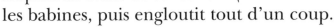 les babines, puis engloutit tout d'un coup.

— Fabuleux, soupire le dragon avec contentement. J'en veux un... auutreeee...

Il ferme les yeux, lutte quelques instant contre le sommeil et s'effondre lourdement sur le sol.

Lord Noircénoir se précipite dans la pièce et ôte l'amulette dragon du cou de la bête.

Aussitôt le dragon se met à diminuer jusqu'à prendre la taille d'un garçon rouquin au nez en trompette. Razzia attrape le rouquin par le col et lui met une série de petites claques pour le réveiller. Le garçon ouvre les yeux, groggy de sommeil.

— Bernardio ! s'écrie Lord Noircénoir. Comment as-tu pu me trahir ?

Reprenant complètement ses esprits, le majordome tombe à genoux pour demander grâce à son seigneur.

Finalement, après l'avoir menacé des pires choses, Lord Noircénoir lui tend un balai en lui ordonnant de tout remettre en ordre. Puis il se tourne vers les Légendaires.

— Je mettrai du temps, mais je réparerai les torts que mon majordome a causés aux villageois, je m'y engage, promet-il. Quant à vous, vous pouvez rester ici aussi longtemps que vous le désirerez.

— Merci, dit Gryf, mais on a des vacances à finir !

Lord Noircénoir les remercie une nouvelle fois chaleureusement et les raccompagne jusqu'au pont-levis, à la plus grande joie du chevalier d'Airain.

Avant de s'enfoncer dans la forêt, Jadina se tourne une dernière fois vers le donjon.

— La vie de château me manque, dit-elle en soupirant. Ce donjon, avec une touche féminine et un jacuzzi, serait tout à fait habitable.

— Bonne idée, Jadina ! réplique l'elfe. Tu n'as qu'à rester ici, et nous, on part. Ça

nous fera de vraies vacances
pour une fois !

— Je comprends que tu
aies hâte de partir, Shimy.
Après tout, tout le monde
n'est pas fait pour la vie de
château…

— Elle insinue quoi, la princesse ?
s'agace Shimy.

— Seulement que tu es un peu trop
« nature » pour apprécier le raffinement !

— Tu vas voir ce qu'elle te dit, la
nature ! réplique l'elfe en ramassant
de la boue sur le bord du chemin. Un
petit masque, ça va soigner tes boutons
d'acné !

— Arrête ! hurle Jadina. Si tu oses…

Mais Shimy ne se laisse pas impres-
sionner par la princesse, qu'elle bombarde
de boue.

— Et zi on ze faisait un petit week-end
entre garzons ? propose Razzia alors que
les deux filles roulent dans la terre en se
crêpant le chignon.

— Loin des filles et des dragons, le rêve ! s'exclame Gryf avant d'éclater de rire.

Bravo, Légendaire, tu as brillamment réussi ta quête ! Lord Noircénoir et son royaume t'en seront éternellement reconnaissants.
Que se serait-il passé si tu avais fait d'autres choix ?
Y avait-il d'autres moyens de mener à bien ta quête ? Pour le savoir, recommence l'aventure en 1 !

*G*ryf court chercher des seaux pendant que Razzia active la pompe. Dès qu'on lui apporte un seau, Shimy utilise son pouvoir élémentaire pour envoyer l'eau sur les flammes.

— Il en faut encore ! hurle-t-elle.

— J'ai que deux bras, alors arrête de brailler ! réplique Gryf.

— Dans ce cas, sers-toi de ta tête ! s'agace l'elfe en lui renversant un seau vide sur le crâne.

Pendant ce temps, Danaël a remplacé un serveur blessé à la tourelle de tir et Jadina lance un sortilège qui illumine les environs. La silhouette monstrueuse du dragon se dessine sur le ciel nuageux.

— Feu ! hurle Pattenbois.

Le dragon, aveuglé par le sortilège et assailli par les flèches, prend de l'altitude et s'enfuit en direction de la forêt.

— Il regagne son donjon ! s'exclame Danaël.

— Oui, mais il reviendra, soupire Pattenbois.

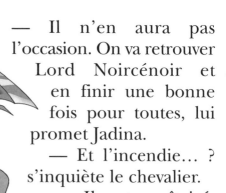

— Il n'en aura pas l'occasion. On va retrouver Lord Noircénoir et en finir une bonne fois pour toutes, lui promet Jadina.

— Et l'incendie… ? s'inquiète le chevalier.

— Il est maîtrisé, répond Razzia, le visage charbonneux.

— Vous avez sauvé mon auberge ! s'exclame Pattenbois. Pour vous remercier, je vais vous faire un cadeau.

— En plus du pique-nique ? s'inquiète Razzia, à qui ce petit exercice matinal a donné faim.

Pattenbois acquiesce. Après leur avoir donné un panier repas bien garni, il leur confie un parchemin.

— C'est une carte de la région, ça vous évitera de vous égarer dans la forêt. Bonne chance !

Après l'avoir salué, les Légendaires s'enfoncent dans la forêt et entament une longue marche.

Ne perds pas tes compagnons de vue, Légendaire !

Rends-toi au 85

— On ne ralentit pas, dit Danaël. Il faut aller de l'avant et se débarrasser de ce dragon une bonne fois pour toutes !

Marchant d'un pas vif, les cinq compagnons parviennent en fin d'après-midi à l'orée d'une vaste forêt.

— On coupe par les bois ? demande Shimy.

Mais Razzia l'interrompt :

— Regardez ! s'exclame-t-il en désignant un bâtiment au bord du chemin. Une auberze !

— Une auberge ? s'étonne Jadina. On dirait plutôt une forteresse avec ces tours et ces barbelés partout...

— Je peux vous assurer que c'est une auberge, réplique Gryf en humant l'air. Et le plat du soir, c'est même une potée de choux aux lardons.

— Avec des lardons ?! répète Razzia, qui a reconnu lui aussi le délicat fumet. À l'azzaut ! poursuit-il, affamé et courant vers l'auberge, faisant fi de toute prudence.

Un garçon borgne, aussi large que Razzia, avec un pied en bois et un crochet à la place de la main gauche, leur ouvre, l'œil suspicieux.

— C'est pour quoi ?

— Pour cazzer la croûte ! répond Razzia.

— ... et avoir quelques renseignements, ajoute Shimy.

— Entrez, dit l'aubergiste. Je m'appelle Pattenbois.

Les Légendaires pénètrent dans la grande salle où dînent trois voyageurs.

— C'est le dragon qui vous a fait ça, Pattenbois ? questionne Jadina.

— Ça ? demande l'aubergiste en tapotant son pied en bois avec son crochet. Non, avant, j'étais marin. Un jour, j'ai chaviré et je me suis fait grignoter par un requin... Et vous, nobles voyageurs, qu'est-ce qui vous a amenés jusqu'ici ?

— On doit se rendre au donjon et on voulait quelques informations.

— Au donjon ? Vous en êtes sûrs ? s'étonne l'aubergiste. La rumeur dit que le dragon aurait établi son nid là-bas, après avoir chassé notre seigneur Noircénoir... peut-être même l'a-t-il dévoré !

— Si nous retrouvions le seigneur du donjon, il devrait pouvoir nous aider à combattre le dragon, remarque Danaël.

— J'en suis certain, approuve l'aubergiste. Lord Noircénoir avait peut-être mauvais caractère, mais il s'occupait bien de son personnel et la région était prospère...

— Vous avez vu beaucoup de voyageurs ces derniers jours ? l'interroge Shimy.

— Non... à part ces trois-là, répond Pattenbois en désignant les autres clients qui dînent, je n'ai vu qu'une troupe de mercenaires qui viennent de partir pour le donjon. Eux aussi veulent débarrasser la région de ce maudit dragon !

— Des mercenaires ? Ils sont partis depuis combien de temps ?

— Trois heures maximum.

— En faisant vite, on peut les rattraper, déclare Shimy.

— Je crois qu'il ne vaut mieux pas trop précipiter les choses. Nous devrions d'abord retrouver Lord Noircénoir...

Prends une décision, Légendaire !
Veux-tu partir immédiatement
et rattraper les mercenaires
pour te joindre à eux et combattre
le dragon ? Rends-toi alors au 20
Penses-tu qu'il est préférable
de se reposer calmement à l'auberge
et de réfléchir au moyen de retrouver
d'abord Lord Noircénoir ?
Rends-toi alors au 32

*R*azzia s'élance vers son adversaire, qui se met aussitôt en garde. Le Légendaire esquive un direct et répond par un crochet qui enfonce un côté du heaume.

— Voilà un adversaire à ma mesure ! se réjouit le chevalier d'Airain en revenant à l'assaut.

Les deux colosses s'empoignent. Pendant quelques secondes, leurs forces s'équilibrent, puis Razzia commence à repousser son adversaire. Finalement, il le soulève du sol et, d'un formidable coup de rein, il envoie le gardien du donjon dans les douves.

Le chevalier d'Airain a à peine le temps de se rattraper à une racine qui dépasse du talus, évitant de justesse de se faire dévorer par les Krocvoraces qui infestent les eaux boueuses.

Razzia l'aide à revenir sur la terre ferme.

— Tu t'es bien battu, guerrier ! clame le chevalier d'Airain, apparemment comblé par la bagarre. Toi et tes compagnons, vous pouvez passer.

Il fait un geste de la main et le pont-levis s'abaisse tandis que la herse se lève.

— Bonne chance ! leur souhaite le chevalier à l'armure cabossée. J'espère que vous allez retrouver la petite !

— Pas rancunier, ce type ! s'étonne Shimy en s'engageant derrière ses compagnons.

En avant pour la dernière étape de ta quête, Légendaire !
Rends-toi au 27

— Vous ne pouvez pas utiliser ce canon contre le donjon, déclare Shimy. Gryf a raison, il pourrait y avoir des blessés ou des morts innocents.

— Nous allons essayer de retrouver le seigneur Noircénoir, ajoute l'enfant-fauve. Il est sans doute prisonnier dans le donjon. Je suis sûr qu'il nous aidera à vaincre le dragon.

— Pas question ! déclare le chef des mercenaires. Continuez la manœuvre, ordonne-t-il aux deux ingénieurs. Pointez la tour où dort ce monstre.

— On vous a dit d'arrêter, s'agace Gryf.

— Vous croyez que vous me faites peur ? se moque le guerrier en portant sa main à son épée. Soldats, à moi ! Empêchez ces touristes de venir fourrer leur truffe dans nos affaires.

— On va d'abord s'occuper de leur chef, déclare Shimy à ses compagnons, et après, on démonte leur canon en pièces détachées... On va voir qui sont les touristes après ça !

L'affaire est sérieuse, Légendaire.
Rends-toi au 18

— *O*n aurait quand même pu les aider, dit Gryf en regardant derrière eux les ruines fumantes.

— Trop tard pour avoir des regrets, dit Danaël. Il faut partir museler ce dragon !

— Et si leur gamine est dans la forêt, peut-être la trouvera-t-on ? tente de le rassurer Shimy.

— Oui, acquiesce Danaël. Et avec un peu de chance, on va bien finir par trouver une auberge pour avoir quelques renseignements sur la région et peut-être même sur la fille.

— À moins que le dragon ne soit déjà passé par là, murmure Jadina

— Avançons encore un peu, tranche Danaël. On verra bien.

 Le temps est compté, Légendaire. Marche d'un bon pas ! Rends-toi au 54

*L*a première des têtes monstrueuses de la statue se tourne vers les Légendaires pour poser son énigme :

— *Si vous m'approchez, je vous brûle, mais sans moi vous ne pourriez pas vivre. Qui suis-je?*

— Facile ! L'amour, dit Jadina.

— Pff, tout le monde sait que c'est le soleil, réplique Shimy.

— L'amour, mademoiselle l'elfe !

— Le soleil, madame la jolie princesse !

— *Alors, quelle est votre réponse ?* demande la statue.

— L'amour ! tranche Danaël. C'est du bluff : les deux réponses sont les bonnes, de toute façon…

— *C'est une bonne réponse*, déclare la créature…

Puis la seconde tête se tourne vers les Légendaires.

— *Qu'est-ce qui fuit sans cesse juste devant nous, et que nous ne verrons, ni ne rattraperons jamais…*

— L'avenir, répond Danaël.

— Ça pourrait être aussi la richesse, propose Gryf.

Donne ta réponse, Légendaire !
Pour répondre l'avenir, rends-toi au 51
Si tu penses que la réponse
est la richesse, rends-toi au 40

*L*ord Noircénoir guide les Légendaires jusqu'à la tour du dragon.

L'arme au clair, prêts au combat, ils gravissent avec prudence les innombrables marches. Arrivés au sommet, la porte menant dans l'antre de la bête est entrouverte.

Le mur côté sud est effondré, les meubles sont renversés et les rideaux sont lacérés. Le dragon dort au centre de la pièce, sur un gros tas d'objets en or.

— À trois, on y va, déclare Shimy.

— Vous faites une erreur, les met en garde Lord Noircénoir.

— Ne vous inquiétez pas, murmure Gryf, tout se passera bien.

— À l'assaut ! lance Danaël.

Pendant un instant, le dragon est désarçonné de voir la troupe au complet se ruer vers lui. Puis il bondit sur ses pattes et crache un jet enflammé sur les Légendaires.

Jadina n'a pas le temps de lancer un sortilège de protection : le souffle incandescent brûle gravement les cinq compagnons qui sont obligés de fuir. Ils ne pourront chasser le dragon avant qu'il n'ait ravagé toute la région.

Ta quête est un échec, Légendaire. Peut-être aurait-il été plus sage d'écouter Lord Noircénoir ! Si tu penses pouvoir vaincre le dragon en faisant d'autres choix, recommence en 1...

— Allez, messieurs, retournez à vos poireaux et laissez-nous passer ! déclare Jadina. Nous avons une mission importante à mener...

Comme aucun des jardiniers ne bouge, Jadina s'avance en élevant la voix.

— Hééé oh, les bouseux ! Je vous parle ! Vous...

— Attention ! s'écrie Danaël.

Trop tard ! La magicienne se prend un bon coup de pelle sur la tête. Elle se recule, le nez ensanglanté.

— Grrrrr ! Puisqu'ils ne veulent rien entendre, grogne Jadina, furieuse, en empoignant son bâton-aigle à deux mains, on va leur expliquer les choses autrement !

Il va falloir livrer bataille, Légendaire !
Rends-toi au 3

*A*lors que le groupe pénètre dans le cimetière par une petite porte de service, celle-ci émet un terrible grincement. La meute de Feurbyes se réveille ! Les créatures hérissées de griffes et de crocs s'élancent alors vers les Légendaires.

— Trop tard pour fuir. Jadina, protège Lila, ordonne Danaël. On va les combattre !

— Non, attendez ! s'écrie Shimy. Je peux essayer d'utiliser mes compétences d'elfe élémentaire pour les amadouer…

— Z'est trop danzereux, réplique Razzia. Ils ont vraiment pas l'air contents !

Quelle est ta décision, Légendaire ?
Fais-tu confiance à Shimy ? Va au 47
Préfères-tu suivre l'avis de Razzia
et Danaël ? La suite t'attend au 31

— *C*hhhut... regardez ! murmure Gryf en désignant du doigt une dizaine de tentes rapiécées, au cœur d'une clairière.

La plupart des Orcs font la sieste sous les arbres tandis qu'une fille à la chevelure blonde, enchaînée à un poteau, est occupée à peler un énorme tas de pommes de terre.

— Ça doit être Lila, chuchote Danaël.

— Ces horribles Orcs l'ont mise de corvée de patates ! s'exclame Jadina, furieuse. C'est... inadmissible. Il faut leur donner une bonne leçon. Attaquons-les tant qu'ils somnolent !

— Tout doux, princesse, réplique Shimy. Les Orcs ne sont pas très courageux quand ils ne sont pas en surnombre. Faisons-leur croire que nous sommes l'avant-garde d'une véritable armée.

Prends une décision, Légendaire !
Vas-tu suivre l'avis de Jadina
et attaquer de front au 98 ?
Ou penses-tu qu'il est préférable
de tenter le coup de bluff proposé
par Shimy au 76 ?

Alors que le soleil redescend sur l'horizon, les Légendaires parviennent à destination.

— C'est vraiment... impressionnant, souffle Jadina devant le donjon de Lord Noircénoir.

La forteresse massive est entourée d'un haut mur d'enceinte en partie masqué par un lierre rouge. Une dizaine de tours s'élèvent vers les nuages. Sur la droite, s'étend un vaste cimetière mal entretenu.

— Halte ! Qui va là ? les interpelle un inquiétant chevalier à l'armure d'airain, alors qu'ils s'avancent vers le pont-levis.

— Nous sommes les Légendaires, lui répond Danaël et nous sommes là pour débarrasser la région de ce dragon qui terrifie les villageois et brûle leurs maisons. Nous savons qu'il vit ici.

Le chevalier d'Airain acquiesce de la tête dans un grincement de vieille porte.

— En effet, le dragon a élu domicile dans le donjon de mon maître. Depuis il règne en tyran sur tout son personnel, du moins ceux qui n'ont pas eu le courage de s'enfuir. Nous obéissons sous la contrainte !

— Et où est passé ton maître ? l'interroge Gryff.

— Lord Noircénoir a malheureusement disparu... le dragon l'a sans doute dévoré, ou bien il le retient prisonnier. Personne ne le sait. Notre pauvre maître serait bien triste de voir ce dragon délaisser l'entretien de notre beau donjon ! se plaint le chevalier en soupirant dans un bruit de ferrailles tordues. Sans compter que nos conditions de travail se sont beaucoup dégradées...

— Dites-moi, valeureux chevalier, hum, vous ne nous laisseriez pas entrer, par hasard ? minaude Jadina en arrangeant sa coiffure.

— À une condition : si vous retrouvez mon maître, promettez-moi de le libérer.

— Promis ! s'écrie Razzia

Le chevalier leur désigne le sinistre cimetière, en contrebas.

— Je suis tenu par un contrat, je ne peux pas vous laisser passer, mais il y a une entrée secrète utilisée par le personnel dans le mausolée des deux lunes. Le seul problème, ajoute-t-il, c'est que c'est sur le territoire des Feurbyes...

— Et... ces créatures sont agressives ? s'inquiète Shimy.

— Depuis la disparition de Lord Noircénoir, les Feurbyes ne sont plus nourris convenablement, et ils ont tendance à attaquer quiconque tente de pénétrer chez eux... Et prenez garde, Lord Noircénoir tenait à sa tranquillité. Il a disséminé de nombreux pièges dans le donjon.

— Merci pour l'information, dit Danaël. En avant, Légendaires !

— Heuu... Lila est dézà partie vers le zimetière, remarque Razzia.

— Grrr... celle-là, alors ! s'agace Shimy. Allez, rattrapons-la !

Cours, Légendaire !
Rends-toi au 44

– **H**é ! Bonjour !
sourit Danaël en saluant les gardes
de la main. On est les nouveaux gardes.
J'espère que le seigneur dragon vous a
mis au courant.

C'est à peine si le chef de la garde leur
accorde un regard avant de revenir à sa
partie de dés.

— Pas trop tôt, depuis le temps qu'on
est en sous-effectif ! Vous trouverez le
reste de votre dotation à l'intendance,
déclare-t-il en désignant un escalier de la
main. C'est la porte de gauche.

— Heuu... merci, répond Gryf.

Sans oser croire à leur chance, les six
compagnons s'engagent dans l'escalier.

Le dragon est à portée de main,
Légendaire. En avant !
Rends-toi au 99

*S*e frayant un passage dans les ronciers, les Légendaires avancent péniblement à la recherche d'une autre entrée, quand soudain, des cris hystériques se font entendre du haut des murailles.

Une douzaine de petits gobelins verdâtres leur font des grimaces depuis le chemin de ronde. Shimy reste perplexe.

— À quoi ils jouent ?

— Je sais pas, mais ils ne doivent pas être bien dangereux… répond Danaël. Tout à coup, il reçoit sur son armure une éclaboussure noire.

— C'est quoi ? s'écrie Gryf. Ça pue !

— C'est… c'est de la crotte ! balbutie Danaël.

Les gobelins se mettent alors à les bombarder. Les Légendaires sont obligés de fuir sous les projectiles nauséabonds.

Tout piteux et crottés, ils se retrouvent à nouveau face au chevalier d'Airain qui ne peut cacher son amusement.

Ça ne coûtait rien d'essayer, Légendaire !
Rends-toi au 34

— **P**ar ici ! s'écrie Jadina. J'ai trouvé la caverne.

Ses compagnons la rejoignent devant l'entrée.

— Bon, qui y va en premier ? demande la magicienne, pas vraiment rassurée.

— Prem'z ! s'écrie Razzia en prenant la tête du groupe.

— Trouillarde, se moque Shimy en le suivant.

— Je ne suis pas trouillarde, je suis prudente, réplique Jadina en lui emboîtant le pas.

Ils s'engagent dans un boyau étroit qui s'enfonce rapidement sous terre.

— C'est quoi, ces petits cris ? interroge Jadina.

— On dirait... des chauves-souris, observe Gryf.

— Fais-nous un peu plus de lumière, Jadina, ordonne Danaël.

Le bâton-aigle éclaire la grotte. Accrochées au sommet de la voûte, une cinquantaine d'énormes chauves-souris semblent somnoler.

— Surtout ne hurlez...

— DES CHAUVES-SOURIS ! hurle Jadina.

— ... pas, termine Danaël.

Aussitôt, les volatiles se mettent à battre des ailes et fondent sur eux, dévoilant leurs crocs menaçants.

— Ze zont des chauves-zouris vampires, murmure Razzia. Des créatures magiques très anziennes et très dangereuses. Les armes en azier ne peuvent pas les blezzer !

— Écartez-vous, je vais les aveugler ! déclare Jadina, pour tenter de rattraper sa gaffe.

— Ça ne servira à rien, elles se dirigent grâce aux sons ! rétorque Danaël. Laisse-moi faire, mon épée d'or va les repousser !

Décide-toi vite, Légendaire !
Si tu fais confiance aux pouvoirs
de Jadina, rends-toi au 93
Si tu penses qu'il vaut mieux
suivre l'avis de Danaël, rends-toi au 50

— *O*n vous amène un prisonnier, déclare Danaël.

— Et alors ? répond le geôlier, y'a pas assez de place ailleurs ?

— Le... le dragon veut qu'il soit dans la même cellule que le seigneur Noircénoir.

Le geôlier referme brusquement le judas en râlant et déverrouille la porte. À peine l'a-t-il entrebâillée que Razzia lui met un bon coup de poing sur le nez, l'envoyant voler sur une table qui se brise sous son poids.

— Tu ne peux pas t'empêcher de tout casser, soupire Jadina.

— Regardez ! s'exclame Gryf.

Un grand garçon maigre, vêtu d'une tunique noire, de bottes et de gants assortis, les observe depuis sa cellule.

— Lord Noircénoir ? demande Shimy.

— Lui-même, répond le seigneur des lieux, très digne malgré la crasse qui l'entoure.

Bravo, Légendaire,
tu as retrouvé le seigneur du donjon !
Rends-toi au 69

— Tenez-vous prêt, dit Shimy.

Les Légendaires parviennent à repousser les premières créatures qui jaillissent du sol glacé, mais très vite, ils sont débordés. Soudain, le sol se dérobe sous leurs pieds alors qu'une créature plus grosse que les autres se fraye un passage vers la surface. Déséquilibrés, jetés à terre, ils ne peuvent se défendre et se font mordre. Ils sont obligés de fuir.

Aucun des Légendaires n'est en mesure de poursuivre l'aventure.

Cette quête est un échec, Légendaire. Tu ne sauras jamais ce qu'est devenu Lord Noircénoir...
Pour tenter de le découvrir,
recommence en 1 !

*R*azzia arrache la grille qui retient le seigneur du donjon prisonnier. Jadina, furieuse, lui brandit un jeu de clés sous le nez.

— Razzia ! Tu dois apprendre à ne pas tout casser !

— Cette dame a raison, dit Lord Noircénoir en sortant nonchalamment de sa cellule, le matériel coûte cher. Vous avez tout de même toute ma gratitude. Puis-je savoir à qui j'ai l'honneur ?

— Nous sommes les Légendaires et nous vous cherchions, répond Danaël.

— Moi ? s'étonne le prisonnier.

— Oui. Nous devons affronter le dragon, et je pensais que vous pourriez nous aider à le vaincre.

— Je dois pouvoir faire ça, acquiesce-t-il.

— Vous pouvez nous raconter ce qui s'est passé ? lui demande Shimy.

Lord Noircénoir soupire.

— Tout est ma faute, avoue-t-il. J'ai demandé à Bernardio, mon majordome, de ranger ma salle des reliques... J'y entasse tous les objets magiques que j'ai acquis ou dont j'ai hérité. La plupart sont des gris-gris sans grande valeur ni dangerosité...

— Pas tous, apparemment, dit Jadina.

— Vous avez raison, Dame Légendaire. Il y avait un médaillon qui avait appartenu à mon arrière-grand-tante. Une amulette en forme de dragon. Quiconque la porte se transforme aussitôt en dragon...

— Votre majordome ? s'exclame Danaël. C'est lui, le dragon ?

— Malheureusement, oui... Ça faisait plus de trois ans qu'il me demandait une augmentation, je crois qu'il nourrissait quelques griefs contre moi depuis mon refus. Il m'a chassé et m'a fait enfermer ici.

— Est-ze qu'il y a un moyen de désactiver l'amulette dragon ? l'interroge Razzia.

— Certes, il suffit de lui ôter le médaillon... mais ça ne va pas être simple. Bernardio ne se laissera pas faire et, surtout, la chaîne est elle aussi magique. Elle est incassable.

— Alors, que proposez-vous ? demande Jadina.

— Du temps où il était humain, Bernardio était un gourmand... D'ailleurs, c'est la raison pour laquelle je ne lui ai pas accordé son augmentation, il me coûtait déjà assez cher en nourriture ! On peut gagner les cuisines et lui concocter un gâteau à la myrtille, il n'y résistera pas.

— Vous voulez qu'on l'engraisse jusqu'à ce qu'il ne puisse plus bouger ? ironise Shimy.

— Non, dame Elfe, mais je pourrais glisser dans le gâteau un somnifère. Ainsi nous pourrons récupérer l'amulette dragon sans violences inutiles.

— Hum... Je n'y crois pas trop, moi, à ce plan, reprend Shimy. Qui nous dit qu'il ne préférera pas croquer celui qui lui amènera la pâtisserie ? Il vaut mieux l'attaquer par surprise.

— Vous n'y pensez pas ! s'exclame le seigneur du donjon. Il risquerait de vous griller sur place ! Croyez-moi, il vaut mieux utiliser la ruse plutôt que la force brute.

Choisis, Légendaire !
Pour faire confiance à Lord Noircénoir, rends-toi au 7
Si tu penses que Shimy a raison de vouloir attaquer par surprise, rends-toi au 59

À peine les cinq compagnons sont-ils sortis de leur cachette, que le dragon prend de l'altitude, inspire profondément et crache un jet incandescent, enflammant les bois alentour. Alors que l'incendie gagne en intensité, les Légendaires, gravement brûlés, sont obligés de fuir...

Cette quête est un échec, Légendaire. Le dragon continuera longtemps de régner en maître sur le donjon. D'autres choix t'auraient permis d'aller plus loin... Recommence en 1 !

$\mathcal{L}$e son du cristal se met à résonner dans le gouffre, entonnant une véritable mélodie. Lentement, centimètre par centimètre, la herse s'ouvre. En faisant le moins de bruit possible, les cinq compagnons se faufilent dessous.

Soudain un vent glacé s'abat sur eux.

— Zi on attrape pas un rhume avec zes chanzements de température... râle Razzia.

Au fur et à mesure qu'ils progressent, la température baisse de plus en plus. Bientôt ils pénètrent dans une vaste salle en pataugeant dans une neige qui craque sous leurs pieds. Les infiltrations d'eau tombant de la voûte en pierre se transforment en flocons.

— C'est magnifique, s'extasie Jadina.

— AAAA.... TCHA ! éternue Razzia. Et boilà. Ze zuis enrhubé. Z'est bas de chanze.

— Surtout pour nous, se moque Gryf. Ça va pas être évident pour te comprendre maintenant.

Avant que le colosse ne puisse répondre, surgissant de sous la neige, une créature, mi-insecte mi-requin, se jette sur Shimy. Danaël, qui avait perçu la menace, la tranche de son épée d'or.

— Un Milshark ! s'exclame Razzia.

— Il y en a d'autres ! s'écrie Jadina en désignant les innombrables ailerons affleurant de la neige. Ils viennent par ici.

— L'odeur du sang les a sans doute réveillés, comprend Gryf. Il faut fuir… Regardez, là, il y a un gros rocher. Nous devons l'atteindre.

— Non, si nous courons et s'ils nous rattrapent, nous serons dispersés et vulnérables, l'arrête Shimy. Il faut les combattre ici.

— C'est de la folie, réplique l'enfant-fauve, ils peuvent jaillir de sous nos pieds. Si on reste, ils nous tailleront en pièces.

Tu dois prendre ta décision, Légendaire, immédiatement ! Pour suivre l'avis de Shimy et faire front, rends-toi au 68 Pour fuir jusqu'au rocher, rends-toi au 102

près une vingtaine de minutes, les Légendaires arrivent devant un nouvel embranchement.

— À gauche, dit Razzia.

— Tu n'as aucun sens de l'orientation, s'agace Shimy. C'est à droite.

À toi de choisir, Légendaire !
Pour prendre à droite, rends-toi au 85
Pour prendre à gauche, rends-toi au 5

— À la une, murmure Gryf, à la deux...

— C'est de la folie ! marmonne Jadina à mi-voix. Danaël, retiens-le…

Mais le chevalier n'a pas le temps d'intervenir. Le dragon, revenant en grand vainqueur de son affrontement avec les mercenaires, passe sous le pont pour rejoindre sa tour.

— À la trois ! s'écrie Gryf.

Mais alors qu'il s'élance dans le vide, le dragon fait un écart sur sa droite. Le Légendaire s'écrase dix mètres plus bas.

— J'ai peut-être une mauvaise vue et j'entends plus grand-chose, tonne le dragon, mais j'ai le meilleur odorat qui soit… et je vous sens, Légendaires !

Puis il crache sur les cinq compagnons restés sur le pont un puissant jet enflammé.

Gryf gît avec de multiples fractures et ses amis, brûlés, sont obligés de s'enfuir.

 Ta quête est un échec, Légendaire.
Le dragon vous a vaincus.
Il y avait sûrement d'autres façons
de le battre ! Recommence en 1 !

Au centre du cimetière, les six compagnons parviennent devant deux grands mausolées presque identiques. Le premier porte sur son fronton l'insigne des Deux Lunes, l'autre celle du Soleil.

— Zi mes zouvenirs zont bons, le zevalier a dit que l'entrée zecrète était dans zelui du Zoleil, réfléchit Razzia à haute voix. Vous venez ?

— Attends, l'arrête Lila, Il me semble qu'il a dit qu'il s'agissait de celui des Deux Lunes, non ?

— Ah ? Heuuu... Ze zais plus trop, avoue le colosse.

As-tu de la mémoire, Légendaire ?
Si tu penses que l'entrée secrète
se trouve dans le mausolée du Soleil,
rends-toi au 22
Si tu penches plutôt pour le mausolée
des Deux Lunes, va au 91

— *C*haud devant ! s'écrie l'enfant-fauve en escaladant la racine.

Devant lui, Lila vient de se faire attraper la cheville par une des créatures qui tente de l'entraîner dans l'eau. Alors que Danaël lance son épée d'or pour la libérer, Shimy utilise son pouvoir d'elfe élémentaire pour créer un mur de terre et de roche qui ralentit la progression des autres monstres.

Gryf saisit Lila par le poignet et, d'un bond, gagne une racine plus haute en l'entraînant derrière lui avant de se laisser glisser jusqu'à la berge où les attendent leurs compagnons.

Mais Lila n'a pas le temps de remercier l'enfant-fauve : déjà les créatures de boue se ruent sur eux !

Légendaire, il va falloir réagir, et vite ! Rends-toi au 84

— *R*endez-vous ! s'écrie Danaël en se montrant. Vous êtes cernés par l'armée des Faucons d'Argent. Toute résistance sera sévèrement réprimée.

Les Orcs, d'abord effrayés, regardent autour d'eux puis se mettent à renifler l'air.

— Aïe ! s'exclame Razzia. Ze viens de me rappeler que les Orcs ont un très bon odorat... ils vont vite comprendre qu'on est tout zeuls.

Déjà les brutes s'élancent vers eux en poussant de terribles cris de guerre.

— Légendaires, formation de combat ! ordonne Danaël en se mettant en garde.

Aussitôt, ses compagnons forment un rempart de muscles et d'acier autour de lui.

La bataille fait rage jusqu'à ce que Razzia assomme d'un coup de poing le puissant chef de la bande adverse. Aussitôt c'est la débandade chez les Orcs qui s'enfuient dans la forêt.

— On a eu chaud ! souffle Gryf.
— Allons délivrer Lila, lance Jadina.

Belle bataille, Légendaire !
Rends-toi au 101

—*J*adina, couvre nos arrières ! ordonne Danaël en protégeant Lila.

Alors que la magicienne lance un sortilège d'aveuglement, les six compagnons reculent prudemment à l'abri de la végétation. Les monstres de boue, désorientés, hésitent à s'élancer à leur poursuite. Finalement ils regagnent un par un leur marécage putride.

— Tout ce qu'ils voulaient, c'était nous empêcher de passer, analyse Shimy. Pourquoi ?

—En route, on a encore un long chemin jusqu'au château ! déclare Danaël.

— Et toi, Lila, je t'ai à l'œil, grogne Shimy. Si tu t'écartes du chemin, je te jure que je m'occuperai de te corriger personnellement !

Vexée, la jeune fille s'engage derrière Razzia sans un mot.

Suis le groupe, Légendaire.
Rends-toi au 63

Les Légendaires, flanqués de Lila, surgissent dans le réfectoire, prenant au dépourvu les gardes. Danaël saute par-dessus une table pour les empêcher de prendre leurs armes tandis que Gryf se jette sur un nouvel arrivant avant qu'il ne donne l'alerte.

Désarmés et démoralisés, les gardes se rendent aussitôt, levant les mains en signe de défaite.

— Enfermons-les dans les cuisines, propose Razzia en jetant un œil dans la soupière.

— N'espérez pas faire un bon dîner ici, gémit l'un des prisonniers. Depuis que le dragon a chassé Lord Noircénoir, on est moins bien traités que des bêtes !

Déçu, Razzia pousse les gardes dans la petite pièce aux murs gras et referme derrière eux la porte avant de jeter la clé par la fenêtre.

Gryf s'est déjà engagé dans l'escalier menant au niveau supérieur. Ses compagnons lui emboîtent le pas.

Le dragon est à portée de main, Légendaire. En avant !
Rends-toi au 99

*J*adina brandit son bâton-aigle qui déploie aussitôt ses ailes. La magicienne est emportée dans les airs. Au moment où elle saisit Lila par les poignets, un des monstres parvient à attraper la jeune fille par la cheville.

Pendant un instant, le bâton-aigle menace de s'écraser contre un arbre. Heureusement, Danaël, toujours vigilant, lance son épée d'or qui file dans les airs et tranche le bras de la créature de boue. Libérée, Jadina et la jeune fille viennent atterrir sur la berge, aux côtés de leurs compagnons.

Lila n'a pas le temps de remercier la magicienne… les créatures de boue passent à l'attaque !

Hâte-toi de réagir, Légendaire !
Rends-toi au 84

*U*n dragon énorme, aux écailles luisantes sous la lumière du crépuscule, s'élance du haut de la tour, à quelques mètres des six compagnons. Il tourne un instant au-dessus des mercenaires affolés avant de plonger vers eux.

— En terrain découvert, ils n'ont aucune chance, déclare Danaël.

— Za va être un carnaze, approuve Razzia.

Les mercenaires, malmenés par les assauts du dragon, trouvent refuge sous le couvert de la forêt pour tirer. Mais les flèches rebondissent sur la cuirasse de la créature dont le souffle enflammé réduit les arbres en cendres.

— On devrait profiter de son absence pour aller jusqu'à sa tanière, conseille Jadina.

— Bonne idée, en avant ! lance Lila en prenant la tête.

— Cette gamine va nous attirer des ennuis ! s'agace Shimy.

Après avoir arraché la porte de ses gonds, ils pénètrent dans l'antre de la bête. Le mur côté sud est effondré, les rideaux sont lacérés et un gros tas d'objets en or trône au milieu de la pièce.

— Le tas d'or, za lui zert de matelas, explique Razzia.

— Ça ne doit pas être très confortable, fait remarquer Gryf.

— Au lieu de bavarder, il faut trouver un plan, les prévient Shimy qui s'est avancée devant la brèche dans le mur. Il ne va pas tarder à revenir, les mercenaires sont en train de s'enfuir.

— Fazile ! s'exclame Razzia. On l'attend pour avoir une bonne explicazion d'homme à dragon !

— Ouais ! approuve Gryf. On va la faire à l'ancienne. On l'attrape, on lui fait cracher ses crocs et on le ficelle comme un gigot.

— Je ne suis pas sûr que ce soit judicieux, vu la taille de la bête, leur fait remarquer Jadina.

— Mon père est un bon chasseur... continue Lila. Il attrape plus de lapins que n'importe qui. Je suis sûr qu'on peut piéger ce dragon quand il reviendra dans sa tanière.

— Heu, tu es au courant qu'un dragon, c'est un peu plus gros qu'un lapin ? lance Shimy.

La jeune fille hausse les épaules.

— Il faut juste que le piège soit un peu plus gros.

— Explique-nous ton idée, Lila, l'encourage Danaël.

— Quand il va revenir, il passera obligatoirement par cette brèche. Il suffit d'y mettre un collet. Il passe sa tête dans le nœud coulant, avance, et hop, il est capturé !

— C'est une bonne idée, mais il faudrait une corde résistante… dit Jadina.

— On peut prendre la chaîne qui retient le lustre ! propose Danaël.

— Il faut vous décider, déclare Shimy, alarmée. Il revient !

L'heure de la bataille
a enfin sonné !
Pour aller à la confrontation
comme le veulent Razzia et Gryf,
rends-toi au 11
Si tu préfères suivre l'idée de Lila
et tenter de piéger le dragon,
rends-toi au 42

—Za zent comme le prout de Girawa ! fait remarquer Razzia en reniflant.

Après avoir marché une bonne partie de l'après-midi, les Légendaires sont stoppés net dans leur progression par un vaste marécage qui exhale une odeur épouvantable. Les racines tentaculaires de grands arbres forment un réseau entrelacé au-dessus de l'eau boueuse.

—On va devoir le contourner, dit Jadina en tenant sa main devant sa bouche. Ça va prendre du temps.

— Pas la peine de le contourner, réplique Lila, on n'a qu'à le traverser en sautant de racine en racine.

— Pas question ! s'entête Jadina. On contourne.

— Je pensais que les Légendaires étaient plus audacieux que ça, se moque Lila en s'élançant entre les arbres. On se retrouvera au château !

Soudain, l'eau du marécage se met à bouillonner au-dessous de la jeune fille.

— Reviens ! s'écrie Danaël. C'est dangereux.

Mais il est déjà trop tard. Une dizaine de créatures humanoïdes au corps de boue s'extraient hors de la vase et commencent à grimper aux racines, empêchant toute retraite de la jeune intrépide.

— Couvrez-moi ! s'écrie Gryf, toutes griffes dehors. Je vais aller la chercher. Les arbres, ça me connaît !

— Il vaut mieux me laisser faire, réplique Jadina. En utilisant mon bâton-aigle, je peux voler jusqu'à elle et la ramener saine et sauve.

Prends vite une décision, Légendaire !
Préfères-tu laisser Gryf s'en charger ?

Suis-le au 75

Penses-tu qu'il est préférable
que Jadina utilise son bâton-aigle ?

Va au 79

— C'est haut, hein ? dit Lila en jetant un œil vers l'abîme sous ses pieds.

— Ne regarde surtout pas en bas, la prévient Danaël. Et ne t'arrête pas.

— Tout compte fait, on devrait peut-être faire demi-tour, déclare Razzia en s'agrippant à la muraille, peu rassuré.

— On a fait la moitié du chemin, réplique Shimy. Alors, avance !

Soudain une douzaine de grands volatiles viennent attaquer les Légendaires suspendus au-dessus du vide.

— Hé ! Fichez le camp, les piafs ! hurle Gryf en agitant un bras.

— Ils vont nous faire tomber ! s'écrie Jadina alors qu'un des oiseaux la tire par les cheveux.

— Ils veulent protéger leurs nids ! dit le chevalier en désignant des nichoirs, juste au-dessous de la fenêtre qu'ils cherchent à atteindre.

— Si on chope leurs œufs, ils se calmeront de gré ou de force ! s'exclame

Gryf, tourmenté par les coups de bec.

— Surtout pas, Gryf, réplique Shimy. Ce sont des oiseaux, ils ne comprendront pas la menace, ils pourraient devenir encore plus agressifs. Il faut contourner les nids et passer par une autre fenêtre !

Dépêche-toi de faire un choix, Légendaire !
Si tu penses comme Gryf qu'il faut prendre les œufs en otages, rends-toi au 30
Si au contraire tu préfères prendre le risque de contourner le nid, va au 96

Alors que le chevalier tranche une racine à sa portée, Shimy utilise son pouvoir pour en écraser une autre. Aussitôt, le Gorgolt relâche ses proies en gémissant.

— Et ça, c'est pour m'avoir décoiffée ! déclare la magicienne en écrasant le talon de sa botte sur une racine.

Le gémissement se transforme alors en cris de rage.

— Oups, s'exclame la magicienne. On ferait mieux de décamper d'ici.

— Toi et ton sale caractère ! la houspille Shimy dès qu'ils sont hors de portée de la créature.

— Pas le temps pour les chamailleries. On doit retrouver Lila, leur rappelle Danaël en reprenant la route.

Rapidement, la piste de la jeune fille les conduit aux abords du donjon de Lord Noircénoir.

— Tu crois que le dragon se cache là-bas ? demande Gryf à Razzia.

— Z'est possible. En tout cas, zi on y

va pas, on zaura pas, déclare le colosse en s'engageant sur le chemin menant au pont-levis.

Il est temps de passer
aux choses sérieuses, Légendaire !
Rends-toi au 8

*L*e combat fait rage ! Mais à chaque fois qu'un adversaire est vaincu, deux autres surgissent du marécage. Bientôt, malgré leur vaillance, les Légendaires sont dépassés par le nombre d'ennemis.

— Il ne faut pas baizzer les bras, les amis ! hurle Razzia en envoyant deux ennemis valser. Continuons, ils finiront par reculer !

— C'est inutile, réplique Shimy en esquivant une attaque, ils sont invulnérables. Mais ils sont liés aux marécages, si on s'enfuit, ils ne nous suivront pas.

La décision est tienne, Légendaire
Es-tu de l'avis de Razzia ?
Va continuer le combat au 4 !
Estimes-tu, comme Shimy,
qu'il est plus sage de reculer ?
Va au 77

Alors que le soleil redescend sur l'horizon, les Légendaires parviennent à destination.

— C'est vraiment... impressionnant, souffle Jadina en contemplant le donjon de Lord Noircénoir.

La forteresse massive est entourée d'un haut mur d'enceinte en partie masqué par du lierre rouge. Une dizaine de hautes tours s'élèvent vers les nuages. Sur la droite, s'étend un vaste cimetière mal entretenu et, sur la gauche, des falaises noires qui reflètent le soleil couchant.

— Halte ! Qui va là ? les interpelle un inquiétant chevalier à l'armure d'airain, alors qu'ils s'avancent vers le pont-levis.

— Nous sommes les Légendaires, lui répond Danaël. Nous sommes là pour débarrasser la région de ce dragon qui terrifie les villageois. Nous savons qu'il vit ici.

Le chevalier d'Airain acquiesce dans un grincement de vieilles casseroles.

— En effet, le dragon a élu domicile dans le donjon de mon maître et, depuis, il règne en tyran sur son personnel, du moins ceux qui n'ont pas eu le courage de s'enfuir. Nous obéissons sous la contrainte !

— Et où est passé ton maître ? l'interroge Gryf.

— Lord Noircénoir a malheureusement disparu... le dragon l'a dévoré, ou alors il le retient prisonnier. Personne ne le sait. Notre pauvre maître serait bien triste de voir ce dragon délaisser l'entretien de notre beau donjon ! se plaint le chevalier en soupirant dans un bruit de ferraille tordue. Sans compter que nos conditions de travail se sont beaucoup dégradées...

— Dites-moi, valeureux chevalier, vous ne nous laisseriez pas entrer... hum ? minaude Jadina en arrangeant sa coiffure.

— Je ne peux pas faire ça, je suis tenu par un contrat.

— Un contrat que tu as signé avec Lord Noircénoir et non avec le dragon... je me trompe ? intervient Danaël.

— C'est vrai, admet le chevalier d'Airain. Je vais vous aider, mais à une condition : promettez-moi que si vous retrouvez mon maître, vous le libérerez !

— Promis ! répond Razzia.

Le chevalier leur désigne les falaises noires à l'arrière de la forteresse.

— Officiellement, je ne peux pas vous aider, mais… il y a une caverne qui conduit aux catacombes du donjon. Ce n'est pas sans danger, les prévient-il. Lord Noircénoir tenait à sa tranquillité, il a disséminé de nombreux pièges dans le donjon. Mais si vous réussissez les épreuves, vous ne serez plus très loin des oubliettes… avec un peu de chance, Lord Noircénoir s'y trouvera.

— Merci de l'information, lance Danaël. C'est parti !

En avant, Légendaire !
Rends-toi au 66

$\mathcal{Q}$uelques heures avant l'aube, une corne d'alerte retentit dans l'auberge.

— Le dragon attaque ! hurle Pattenbois.

L'aubergiste et ses deux employés montent sur les tours de tir, mais la nuit est brumeuse et il est difficile de suivre les mouvements fulgurants de la créature. Alors qu'elle fait un nouveau passage, elle crache du feu, incendiant le bâtiment.

— Il faut faire quelque chose ! s'exclame Gryf, à peine réveillé.

— Razzia, Shimy et toi, occupez-vous de l'incendie ! ordonne Danaël. Jadina et moi, on va aider Pattenbois à chasser le dragon.

— Il ne faut pas se séparer, dit Jadina. On doit s'occuper en priorité du dragon. L'incendie attendra.

— Pour qu'on finisse grillés comme des chipolatas ? s'exclame Shimy. D'abord l'incendie, après on verra pour le dragon, Pattenbois a l'air de très bien se débrouiller.

Décide-toi rapidement, Légendaire !
Si tu es de l'avis de Danaël,
qu'il faut diviser le groupe
pour combattre à la fois l'incendie
et le dragon, rends-toi au 53
Pour combattre en priorité le dragon,
rends-toi au 94
Si, au contraire, tu penses
que le plus pressé est d'éteindre
l'incendie, rends-toi au 25

*L*es Légendaires traversent une grande salle humide. Des chaînes rouillées pendent du mur. Dans un coin, un vieil instrument de torture gît, renversé sur le sol, à côté d'un squelette recouvert de mousse.

— Personne n'est passé par là depuis un bon bout de temps, remarque Gryf.

Ils poussent la porte vermoulue et empruntent l'escalier menant aux niveaux supérieurs des oubliettes. Ils débouchent dans un vaste hall. Sur leur droite, une volée de marches mène au niveau supérieur et, sur leur gauche, il y a trois portes massives, avec un judas.

— Ça doit être les oubliettes ! dit Danaël. Venez.

Les portes de droite et de gauche ne sont pas verrouillées et les cachots sont vides. Alors que Razzia essaie d'ouvrir la porte du centre, le judas s'ouvre.

— Qu'est-ce que vous voulez ? leur demande le geôlier d'un ton bourru.

— Heu... un inztant, dit Razzia en se tournant vers ses compagnons. On fait quoi ?

— On défonce la porte et on libère Lord Noircénoir s'il est là, propose Gryf.

— Ou alors on dit qu'on a un prisonnier, dit Jadina. Il nous ouvrira et ça évitera pour une fois de casser tout le mobilier !

Fais ton choix, Légendaire !
Pour défoncer la porte,
rends-toi au 16
Pour suivre l'avis de Jadina,
rends-toi au 67

*D*anaël fait tomber la pièce dans le plateau. Le tintement est amplifié cent fois, mille fois, jusqu'à ce que le pont se fissure sous l'effet des vibrations.

— Il faut fuir ! hurle Jadina.

Trop tard, le pont se disloque. La magicienne tente de rattraper ses compagnons grâce à son bâton-aigle, mais Danaël, Razzia et Shimy sont gravement blessés. Ils ne pourront pas continuer l'aventure.

C'est un échec, Légendaire !
Tu ne sauras jamais ce qui est arrivé
à Lord Noircénoir et le dragon
continuera à ravager la région...
Tu aurais pu empêcher ça !
Recommence en 1,
et fais d'autres choix...

— Z'ai faim, se plaint Razzia en voyant les traces fraîches d'un lièvre-siffleur dans l'humus du chemin.

— On doit se dépêcher, Razzia, répond Danaël. On n'a pas le temps de chasser.

— Z'aurais préféré affronter le dragon le ventre plein, moi...

— On n'est pas déjà passé par là ? demande Shimy. Il me semble reconnaître cet arbre.

— Pff, ridicule, on a pas dévié d'un pouce, réplique Jadina.

— Sauf qu'elle a raison, la contredit Gryf, je reconnais notre odeur. On a tourné en rond.

— Il va falloir être plus vigilants, les met en garde Danaël. On prend à droite ou à gauche ?

— À droite, répond Gryf.

— Sûrement pas, on doit aller à gauche, affirme Shimy.

As-tu le sens de l'orientation, Légendaire ?
Pour tourner à gauche, rends-toi au 72
Pour tourner à droite, rends-toi au 5

$\mathcal{M}$algré les pleur-
nicheries et les menaces de Lila, les
Légendaires escortent la jeune fille jusqu'à
l'orée de la forêt, après l'avoir autorisée à
prendre quelques affaires issues du larcin
des Orcs.

Étrangement, ses parents ne sont plus
là.

— Ils sont peut-être revenus au village,
suggère Jadina.

— Non, regardez ! s'écrie Danaël.

Tous s'approchent du chevalier pour
contempler, avec effroi, une large clairière
roussie.

— C'est récent, déclare Gryf en reniflant
les alentours.

— C'est le dragon, ajoute Lila, les
poings serrés. Il les a enlevés.

— La nuit ne va plus tarder, il faut
dormir. Dès l'aube, on ira à la recherche de
tes parents, décide Danaël. Ne t'inquiète
pas, on les retrouvera, je te le promets.

Lila acquiesce en silence, retenant
difficilement ses larmes.

— On doit prendre un peu de repos, on a une journée chargée demain ! dit Razzia.

Après une bonne nuit de sommeil, il te sera plus facile de combattre, Légendaire.
Rends-toi au 23

*S*itôt que les Légendaires ont refermé la porte du mausolée derrière eux, un escalier apparaît dans le dallage, menant dans les sous-sols du donjon.

— Jadina, éclaire-nous avec ton bâton-aigle, dit Danaël. Razzia, couvre nos arrières. Gryf, tu marches en tête.

Le groupe s'enfonce alors dans le long couloir souterrain.

— Brrr, je suis sûre qu'il y a des chauves-souris ici, frissonne la magicienne.

— Mais non, la rassure Shimy.

— Tu... tu crois ?

— J'en suis certaine. Il n'y a jamais de chauves-souris dans les tunnels où vivent les araignées géantes.

— QUOI ?! s'écrie Jadina, terrifiée.

Puis comprenant que son amie se moque d'elle, elle se met à bougonner sous les rires moqueurs de ses compagnons.

Ils arrivent finalement au pied d'un second escalier qui remonte vers la surface. Gryf part en éclaireur et revient quelques instants plus tard.

— Il y a une salle avec une douzaine de gardes. Ça ressemble à un réfectoire : certains mangent et d'autres jouent aux dés et j'ai trouvé de quoi nous déguiser, déclare le jaguarian en montrant un tas d'uniformes à la propreté un peu douteuse.

— Je propose qu'on leur tombe dessus sans prévenir ! ajoute-t-il en faisant craquer les phalanges de ses doigts.

— On ferait mieux de la jouer en finesse réplique Danaël. Avec ces uniformes, on peut dire qu'on est les nouveaux gardes engagés par le dragon...

Prends ta décision, Légendaire.
Si tu es de l'avis de Razzia,
pour attaquer de front, va au 78
Si tu penses qu'il vaut mieux bluffer,
va au 64

*D*ès que les mercenaires se sont engagés dans les épais fourrés de la forêt, le dragon se désintéresse d'eux et regagne paisiblement sa tanière, au sommet de la plus haute tour du donjon.

— On fait quoi, maintenant ? demande Jadina.

— On entre dans le donjon et on va trouver ce dragon, déclare Danaël.

— Ouais ! Et on va lui montrer qui sont les Légendaires ! grogne Gryf.

— Hum... sûr qu'on est pas le genre de héros à se cacher pendant que les autres se battent, ironise Shimy.

— A... Allons-y, dit l'enfant-fauve, un peu honteux. L'entrée doit être de l'autre côté.

Il va falloir affronter la bête, Légendaire. En auras-tu le courage ?
Rends-toi au 85

*J*adina envoie un violent flash lumineux dans la grotte. Pendant un instant, les chauves-souris sont désorientées, mais aussitôt après, elles reviennent à l'attaque. Bientôt les Légendaires sont assaillis de toutes parts. Jadina et Gryf sont mordus avant que Danaël, à l'aide de son épée d'or, n'en tue une dizaine, effrayant les autres qui s'enfuient aussitôt.

Gryf et Jadina sont trop gravement blessés pour pouvoir continuer à avancer.

Ta quête est un échec, Légendaire.
Tu ne sauras jamais ce qui est arrivé
à Lord Noircénoir...
En faisant d'autres choix,
tu aurais pu changer ta destinée.
Recommence en 1 !

*I*gnorant les flammes, les cinq compagnons se ruent à l'attaque. Gryf, Razzia et Danaël grimpent dans une des tours de garde équipées de lourdes arbalètes de siège, alors que Jadina lance un sortilège qui éclaire le ciel brumeux, révélant la silhouette gigantesque du dragon.

Shimy, elle, remplace à la tourelle de tir un des serveurs de l'auberge blessé par la créature.

C'est un déluge de flèches qui s'abat sur le dragon.

— Allez ! Amène-toi zi tu l'oses, hurle Razzia. Viens tâter de mon zabre !

Surpris par autant de résistance, la créature prend de l'altitude avant de s'enfuir.

— Wéééé ! s'exclame Gryf. Légendaires : un point, dragon : zéro !

— Heuu... par contre, faudrait peut-être s'occuper de l'incendie, lui fait remarquer Shimy. Sinon, on va vraiment finir par rôtir.

Les flammes s'élèvent haut dans le ciel. La chaleur est étouffante.

— Il faut évacuer, hurle Pattenbois. Vite !

Ils ont juste le temps de sortir du bâtiment dévoré par les flammes avant que la charpente ne s'écroule.

— Il était temps, soupire Jadina.

— Par contre, pour le pique-nique, ze crois que z'est raté… soupire Razzia.

— On ferait mieux de se mettre en route, déclare Danaël. Désolé pour ton auberge, Pattenbois.

L'ancien marin hausse les épaules.

— Retrouvez notre seigneur, débarrassez-nous de cette maudite bête et j'en rebâtirai une plus belle et plus grande !

— On vous le promet, dit Shimy en rattrapant ses compagnons qui s'enfoncent déjà sous les arbres.

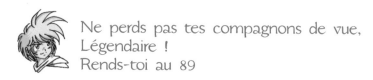

Ne perds pas tes compagnons de vue, Légendaire !
Rends-toi au 89

— *C'est la bonne réponse*, déclare la troisième tête. *Vous pouvez poursuivre votre route.*

La porte en métal s'ouvre dans un claquement.

Après avoir vérifié qu'il n'y avait pas de piège dissimulé, Gryf fait signe à ses amis de venir le rejoindre.

— Cette fois-ci, on entre dans le donjon, déclare Danaël avec gravité.

Le combat final approche, Légendaire !
Rends-toi au 87

*U*ne fois le lieu de nidification contourné, les oiseaux les laissent en paix.

— Là, cette fenêtre ! dit Gryf en désignant une ouverture à quelques mètres en dessous du sommet de la tour.

— Parfait, approuve Danaël. Passe devant.

Gryf bondit avec agilité sur le rebord, casse le carreau en verre et fait signe à ses compagnons de les rejoindre. Il les aide à se hisser à l'intérieur.

— On y est presque, chuchote l'enfant-fauve. Je sens son odeur.

Alors que Razzia vient juste de rentrer dans le bâtiment, des bruits de bataille se font entendre, loin en contrebas.

— Regardez ! s'exclame Shimy. Le donjon est attaqué ! Devant le pont-levis, une troupe d'une douzaine de mercenaires armés jusqu'aux dents tentent de pénétrer dans le donjon.

Soudain, un hurlement terrifiant ébranle les fondations de la forteresse...

 Le moment de vérité approche, Légendaire...
Rends-toi au 80

— **Y**OUHOUUU !

Allez, les Feurbyes ! Vous avez peur de moi ou quoi ? Poules mouillées ! hurle Gryf en agitant les bras.

Aussitôt, toute la meute, écumante de colère, s'élance à sa poursuite, laissant la voie libre au reste du groupe.

— J'espère qu'ils ne vont pas le rattraper, s'inquiète Shimy.

— Gryf saura très bien se débrouiller tout seul. Dépêchons-nous, dit Danaël en franchissant la grille.

Longeant les allées mal entretenues, les cinq compagnons se dirigent vers le centre du cimetière, où se trouvent les plus imposantes sépultures, recouvertes en partie de lierre.

— On ferait mieux de se dépêcher, déclare Gryf essoufflé en revenant vers eux. Les Feurbyes sont partis sur une fausse piste, mais ça risque de chauffer quand ils auront compris qu'on les a bernés.

Avance à pas feutrés, Légendaire !
Rends-toi au 74

$\mathcal{U}$n vent de panique souffle sur le campement. Avant même que les Orcs ne réagissent, Razzia en a assommé trois et Jadina a lancé un sortilège qui en a neutralisé deux autres. Danaël et Gryf désarment le chef de la bande alors que Shimy s'est glissée entre les combattants pour protéger Lila.

Rapidement, les Orcs encore en état de courir détalent hors de la clairière, terrifiés.

Bravo, Légendaire,
la victoire est totale !
Rends-toi au 101

$\mathcal{A}$près l'escalier, les Légendaires contournent un bureau d'intendance désert, puis s'engagent dans un grand hall donnant sur… trois nouveaux escaliers !

— Comment on va trouver l'antre du dragon avec ce labyrinthe ? s'inquiète Lila.

— Ça, il faut demander à Razzia, c'est lui l'expert en monstres.

Le colosse s'approche d'une fenêtre et fait signe à ses compagnons de le rejoindre.

— Il faut zavoir que les dragons aiment ze percher en hauteur. Vous voyez, zette tour, la plus haute de toutes, dit Razzia. Tout un côté du mur est effondré.

— Et alors ? s'impatiente Shimy.

— Alors… elle est zuste azzez larze pour laizzer pazzer le corps mazzif d'un dragon, réplique le colosse, agacé d'être interrompu dans son cours magistral. Donc, il a dû faire zon nid là-bas.

— Impressionnant ! s'exclame Gryf.

— Z'est za, la clazze ! sourit Razzia avec fierté.

— Venez ! Ça doit être par là, dit Jadina.

L'affrontement final approche, Légendaire.

Rends-toi au 36

$\mathcal{A}$lors que le dragon s'apprête à ne faire qu'une bouchée du chef des mercenaires, Jadina lui envoie en pleine face une boule d'énergie. Avant qu'il ait repris ses esprits, Shimy utilise son pouvoir pour provoquer une énorme vague de terre et de pierre qui renverse la bête.

Le dragon, écumant de rage, a juste le temps de s'envoler avant que Razzia et Danaël ne l'attaquent.

Désorientée et blessée, harcelée par les flèches des mercenaires, la créature s'enfuit vers sa tour.

— Z'est ça ! Va te cacher, zale monztre ! crie Razzia en faisant tournoyer sa grosse épée.

— On va devoir aller le débusquer dans son antre, soupire Danaël. Ça risque de ne pas être une partie de plaisir. On aura du mal à le surprendre une seconde fois.

— Ne vous en faites pas pour ça, nobles héros, les interpelle le chef des merce-naires. On a amené avec nous une arme

secrète qui va le faire sortir de sa tanière !
Venez par ici !

 Quelle peut bien être
cette arme secrète, Légendaire ?
Pour le découvrir, rends-toi au 39

*R*azzia arrache les chaînes retenant la fille blonde. Elle n'a pas du tout l'air effrayée par ce qu'il vient de lui arriver.

— Merci, dit Lila. Vous leur avez mis une bonne correction. C'est tout ce qu'ils méritaient ! Ils me faisaient faire toutes les corvées !

— Ma pauuuvre chérie, soupire Jadina, compréhensive.

— Ce sont mes parents qui vous envoient ? demande la fille blonde.

— Oui. Nous allions partir à la chasse au dragon quand nous les avons croisés.

— C'est vrai ? Vous chassez ce maudit dragon qui a brûlé ma maison ? Amenez-moi avec vous, je peux vous aider !

— Ze ne crois pas que ze soit une bonne idée, dit Razzia. Tes parents vont z'inquiéter ! On doit te ramener à eux.

— Pff, au moment de l'accident Jovénia, j'étais presque adulte et comme ça fait déjà plusieurs années que c'est arrivé… techniquement, je suis une adulte !

Et surtout, je passe tous mes étés chez mon oncle qui est un grand chasseur ! Il m'a appris à piéger toutes sortes d'animaux, même les plus gros !

— Techniquement, elle n'a pas tort, admet Gryf, charmé par cette nouvelle venue. Elle pourrait peut-être nous accompagner… et elle a l'air plutôt courageuse et débrouillarde.

— Alors là, n'y compte pas, réplique Shimy, jalouse. On la ramène à ses parents ! Un dragon, c'est pas un Girawa sauvage, non plus !

Prends une décision, Légendaire !
Veux-tu que Lila accompagne
les cinq compagnons ? Va au 46 !
Ou vas-tu écouter Shimy et ramener
la fille à ses parents au 90 ?

— Allez ! Plus vite ! On y est presque ! crie Gryf pour encourager ses compagnons. Les Milsharks ont compris qu'on veut atteindre ce rocher, ils cherchent à nous couper la route.

Alors qu'ils sont presque arrivés, l'une des créatures surgit sur leur droite et s'élance vers eux. Razzia a juste le temps de l'envoyer valser d'un coup de poing avant de sauter sur le rocher. Ses compagnons le rejoignent aussitôt. En sécurité, ils regardent les prédateurs tourner autour d'eux.

— Et maintenant ? demande Jadina.

— Regardez ces pierres, il suffit de sauter de l'une à l'autre jusqu'à la sortie, remarque Danaël en désignant de petits rochers dispersés dans la neige.

Avançant prudemment, le groupe parvient à regagner la terre ferme. Ils arrivent dans un long couloir obscur qui rejoint les soubassements du donjon.

— Il faudrait trouver un moyen de monter, déclare Jadina.

— Le chevalier d'Airain nous a dit qu'il y avait une sortie qui débouchait au niveau des oubliettes, alors continuons, décide Danaël.

Le couloir se termine finalement dans une antichambre occupée par la gigantesque statue d'un cerbère à trois têtes. Nichée entre les pattes de la créature, se trouve une porte métallique.

— Il n'y a pas d'autre issue, déclare Gryf en essayant d'ouvrir la porte.

— *Celui qui veut passer doit répondre à trois énigmes, ou il devra subir mon courroux*, tonne une voix métallique provenant de la statue.

— Alors, pose tes questions, réplique Jadina. Qu'on sorte enfin de là !

Sois perspicace, Légendaire !
Rends-toi au 58

DÉCOUVRE LEUR PASSÉ !

LES LÉGENDAIRES
origines

**Par
Patrick Sobral
et Nadou**

Tome 1 – DANAËL   Tome 2 – JADINA   Tome 3 – GRYFENFER

DISPONIBLES AU RAYON BD   DELCOURT   DÉJÀ DISPONIBLE